불교
5대 수행법
길라잡이

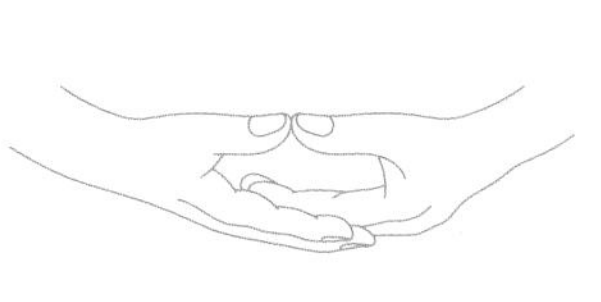

대한불교조계종 포교원

계율

간경

염불

참선

보살행

조계종
출판사

목 차

발간사

인류는 과학기술의 발전으로도 '인간의 행복'이라는 근원적인 문제를 해결하지 못하고 있습니다. 최근 유행한 코로나19 전염병 사태에서 알 수 있는 것처럼, 만족할 줄 모르는 인간의 욕망 때문에 전 인류가 위기를 맞이하고 있는 것입니다. 이런 상황에서 불교는 새로운 대안으로 부상하고 있습니다. 부처님께서 가르치신 세상의 평화와 개인의 행복에 대한 심오한 진리는 우리 인류에게 새로운 방향을 제시하고 있다고 생각합니다. 한때 물질문명을 선도했던 미국과 유럽에서 일어나고 있는 불교에 대한 연구와 명상 수행의 열풍이 그 증거라 할 수 있습니다.

불교는 '수행의 종교'로 불릴 만큼 유구한 전통을 자랑하고 있습니다만, 의외로 많은 불자들이 불교의 수행방법에 대해 낯설어 하고 있습니다. 마치 "등잔 밑이 어둡다"는 속담처럼 불교가 간직하고 있는 무궁무진한 콘텐츠를 정작 우리들이 제대로 활용하지 못하고 있는 상황인 것입니다. 이러한 어려움을 극복하기 위한 방편으로 포교원에서는 '5대 수행법'을 강조하고 있습니다. 5대 수행법이란 계율, 간경, 염불, 참선, 보살행을 말합니다. 불자라면 당연히 수지해야 할 계율, 한국 불교의 전통적인 수행법인 간경, 염불, 참선 그리고 대승불교의 근간인 보살행을 합한 것입니다. 어떻게 보면 불자들의 실천 덕목을 총망라한 것이 5대 수행이라 할 수 있습니다.

이번《불교 5대 수행법 길라잡이》는 수행에 입문하는 재가신도의 안내서가 될 수 있도록 초심자의 관점에 주안점을 두었습니다. 이 안내서를 보시고 자신의 성향과 적합한 수행법을 찾으셨다면, 그 분야의 전문가 스님을 찾아가 더 깊이 있는 공부를 하시기 바랍니다. 이 책이 불자 여러분이 수행법의 요지를 이해하는데 조금이라도 도움이 되기를 기원합니다. 향후에 조금 더 이론적 부분을 보충한《불교 5대 수행법 지침서》를 발간할 예정이오니, 변함없는 관심과 격려를 부탁드립니다. 감사합니다.

불기2565(2021)년 2월

대한불교조계종 포교원장 **지홍**

I. 계율 수행

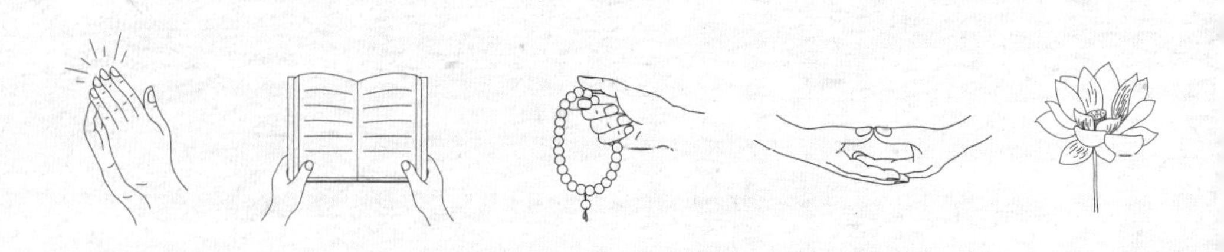

1. 계율은 수행의 토대

1) 함께 사는 지혜, 계율

계를 통해서 청정하게 되는 것이 지혜이고, 지혜에 의해서 청정하게 되는 것이 계입니다. 계가 있는 곳에 지혜가 있고, 지혜가 있는 곳에 계가 있습니다. 계를 가진 자에게 지혜가 있고, 지혜를 가진 자에게 계가 있습니다.

- 소나단다 경

'계율을 지키는 사람'이란 윤리적 인간, 도덕적 인간을 말합니다. 윤리란 '어떻게 살아야 하는가?'라는 삶의 방향성에 대한 지침입니다. 윤리적 행위는 개인이 속한 사회의 도덕이나 법규와 함께 변화하고는 합니다. 예를 들어서, 과거에는 아무 곳에서나 담배를 피워도 문제가 되지 않았지만, 지금은 흡연구역에서만 담배를 피우도록 변화하였습니다. 이에 맞추어 윤리적 행위의 기준도 변화하게 되는 것입니다.

그런데 불교의 계율은 누구에게나 해당하는 보편적인 내용이기 때문에, 계율을 지키면 지킬수록 도덕성이 훌륭한 사람이 됩니다. '살생하지 않는다', '도둑질 하지 않는다' 같은 계율 항목은 국가와 지역을 막론하고 적용할 수 있는 내용입니다.

[질문] 불교에서 말하는 해탈은 윤리, 도덕규범으로부터도 자유로운 것이 목적 아닌가요?

[토의] 위와 같은 질문에 대해 생각해보는 시간을 가져봅시다. 주위 분들과 서로의 의견을 나누어 본다면 더 좋을 것입니다. 아래의 공간에 여러분이 내린 결론을 적어봅시다.

2) 계율은 개인과 공동체를 지켜주는 튼튼한 울타리

세존이시여, 청정한 벗들과 사는 것은 참으로 유익합니다. 저희들은 몸은 여럿이지만 마음은 하나라고 생각합니다. 저희들은 서로 화합하고, 서로 감사하며, 다투지 않고 우유와 물처럼 조화롭게, 서로 사랑스러운 눈빛으로 대하며 지내고 있습니다.

- 율장, 대품

우리는 자신의 잘못된 행동에 대해 후회를 하고 뉘우치며 착하게 살려고 결심합니다. 이렇게 스스로 선함을 추구하는 마음가짐과 행동이 바로 '계'입니다. 그리고 공동체의 원만하고 조화로운 운영을 위해 확립한 강제조항이 바로 '율'입니다.

계율을 지키는 행동은 수행을 도와주고 지켜주는 튼튼한 계단이나 울타리와 같습니다. 계율은 번뇌와 욕망으로부터 자신의 마음과 몸을 지키는 좋은 도구입니다. 우리는 계행을 통해 진실한 마음으로 자신을 성찰하는 힘을 얻게 됩니다. 계율을 통해 공동체는 화합을 이루고, 내부의 잘못된 것들을 억제하고 바로잡으며, 바른 것을 키워 낼 수 있고, 공동의 목표를 향해 함께 나아가게 됩니다. 이를 통해 공동체는 공동체 바깥으로부터 신뢰를 확보하게 되는 것입니다. 이렇게 함께 살아가면서 공동체의 삶은 더욱 풍부해지고 다양해집니다.

[질문] 불교에서 말하는 수행의 성취는 정신적 영역에 해당합니다. 그렇다면 마음만 청정하면 되지, 반드시 몸과 말까지 구속하는 계율을 지킬 필요가 있을까요?

[토의] 위와 같은 질문에 대해 생각해보는 시간을 가져봅시다. 주위 분들과 서로의 의견을 나누어 본다면 더 좋을 것입니다. 아래의 공간에 여러분이 내린 결론을 적어봅시다.

3) 계율을 지키는 공덕

> 몹시 고달픈 병 가운데 계는 좋은 약이 되고,
> 큰 공포 가운데 계는 든든한 지킴이 되며,
> 죽음의 어둠 가운데 계는 밝은 등불이 되고,
> 험한 길 가운데 계는 안전한 다리가 되며,
> 죽음의 바다 가운데 계는 큰 배가 됩니다.
>
> \- 대지도론

계율을 지키는 것은 큰 공덕을 쌓는 행위입니다. 공덕이란 훌륭한 경과를 이끌어내는 에너지입니다. 계율은 1차적으로 악행을 하지 않게 막아주고, 2차적으로 선행을 하도록 이끌어 줍니다. 어떤 사람이 몸과 말과 마음으로 악행을 범하지 않는다면, 결국 선행을 할 수밖에 없지 않을까요?

우리는 다른 사람들과 어울리면서 살아갈 수밖에 없고, 몸과 말과 마음으로 끊임없이 무언가 의도하고 행위를 합니다. 그때 계율을 지키기 위해 악행을 범하지 않는다면, 그 사람은 생각과 말과 행동에서 자기를 중심으로 하여 욕망하고 분노하는 거친 성질이 점점 다스려지게 되므로, 온유하고 평화롭고 관용의 자세가 더 강해지고, 선한 행위로 기울게 됩니다. 그는 자연스럽게 선행을 하게 될 것입니다.

부처님 당시에 재가자들이 보시를 하고 계율을 지켜 천상에 태어난 사례가 매우 많았습니다. 그래서 후대에 이 사례들을 분석하면서 '보시+지계=천상에 태어남'이라는 개념이 생겼습니다. 천상이란 자신의 몸과 마음, 삶의 환경에 불만족이나 불편함 없이 즐겁게 행복하게 살아가는 신들의 세상입니다. 이런 세상에 태어나게 하는 에너지가 바로 공덕, 복덕입니다. 비록 신이 아닌 인간으로 다시 태어난다 하더라도, 공덕의 힘이 있다면 전보다 훨씬 좋은 조건을 만나게 될 것이라는 합리적인 추론이 가능합니다.

계율을 지키는 것은 정말로 큰 공덕일까요?

윤리적인 삶이 어떤 공덕이 있을지에 대해 생각해보는 시간을 가져봅시다. 주위 분들과 서로의 의견을 나누어 본다면 더 좋을 것입니다. 아래의 공간에 여러분이 내린 결론을 적어봅시다.

4) 행복한 삶의 원동력

> **전단향, 따가라 향, 웁빨라 향, 왓시까 향이 있지만**
> **이들 향기 가운데 계행의 향기가 최상입니다.**
>
> **-법구경**

하나의 계율 항목을 어기지 않게 되면, 그 계율에 관련된 번뇌가 일어나지 않게 됩니다. 번뇌를 영원히 제거한 것은 아니지만, 해당 번뇌가 일단 멈춘 상태이므로 '일시적 해탈'인 것입니다. 이 원리는 매우 중요합니다. 지금 여기에서 즉시 번뇌로부터 벗어나면, 그것이 바로 행복한 삶의 원동력이 되기 때문입니다.

'탐욕'을 예로 들어보겠습니다. 어떤 사람이 고가의 상품을 너무 갖고 싶다고 합시다. 자신의 능력으로 그 상품을 구입할 수 없다면, 탐욕의 번뇌가 온몸을 휘감을 것입니다. 만약 탐욕에 정복당하면, 그는 수단과 방법을 가리지 않고 그 물건을 차지하려고 할 것입니다. 그 상품이 진열된 매장에 들어가 도둑질을 할 수도 있고, 그 상품을 가지고 있는 사람에게 강탈할 수도 있으며, 상품을 구매하기 위해 부정한 방법으로 돈을 마련할 수도 있습니다. 그렇게 탐욕을 채운 뒤에는 사회적 책임과 양심의 가책에 고통스러워하지만, 또 다른 욕망의 대상을 향해 노예가 되어가는 자신을 발견하게 됩니다.

만약 주어지지 않은 것을 자신의 것으로 취하지 않는 불투도(不偸盜) 계율을 준수하는 사람이라면 탐욕의 힘이 자신을 정복하지 않도록 몸과 마음을 알아차리고 강하게 단속합니다. 시간이 지나면 욕망의 마음도 가라앉고, 그릇된 욕망을 추구한 것 때문에 생길 육체적, 정신적 고통도 일어나지 않습니다. 그때 그 사람은 탐욕으로부터 일시적으로 평화를 얻은 사람입니다. 다시 욕망을 자극하는 대상을 만나면 번뇌가 일어나겠지만, 그 전까지는 탐욕의 불길을 끈 것입니다. 이것이 계율의 힘입니다. 그래서 각각의 계율 조항이 해탈로 이끈다고 해서 '별해탈(別解脫)'이라고 부르는 것입니다.

계율을 지키는 것으로 행복한 생활이 가능할까요?

윤리적인 삶과 정신적 행복의 관계에 대해 생각해보는 시간을 가져봅시다. 주위 분들과 서로의 의견을 나누어 본다면 더 좋을 것입니다. 아래의 공간에 여러분이 내린 결론을 적어봅시다.

2. 재가자의 생활윤리

1) 불자의 토대가 되는 계율 – 오계(五戒)

세상을 살아가면서
생명을 죽이고,
거짓말을 하고,
주지 않은 것을 훔치고,
남의 배우자를 범하고,
술을 즐기는 자.
그는 자신의 뿌리를 파헤치게 됩니다.

아, 그대여!
탐욕과 성냄,
자신을 다스리지 못한 악행이
그대를 오래도록 괴롭히리라는 것을
반드시 알아야 합니다.

\- 법구경

오계는 불교의 가장 기본적인 윤리규범이면서 보편적인 사회규범으로, 재가신자는 삼귀의를 한 뒤 오계를 받아 지녀야 합니다. 오계는 불자의 토대가 되는 계율이기에, 부처님께서도 수많은 경전에서 오계의 중요성에 대해 강조하셨던 것입니다.

그런데 막상 일상생활 속에서 다섯 가지 조항을 모두 지키는 것은 쉽지만은 않습니다. 하루는 쉽게 지킬 수 있을지 모르지만 1주일, 1개월, 1년 동안 오계를 지키는 것은 매우 어려운 일입니다. 또한 어떤 분들은 불가피한 사정으로 오계를 지키지 못할 수도 있습니다. 예를 들어서, 직업이 어부(漁夫)인 분은 직업을 바꾸지 않는 이상 불살생계를 지킬 수 없을 것입니다. 이런 경우에는 자신이 지킬 수 있는 계율 조항만 받아도 됩니다. 오계 가운데 설사 하나의 조항만 지킨다 하더라도 큰 공덕이 되기 때문입니다.

또 한 가지 생각해볼 점이 있습니다. 계율은 자신을 구속하는데 목적이 있지 않습니다. 계율은 자신의 마음과 말과 행동을 부단히 알아차리고, 비추어 봄으로써 거칠고 그릇된 것을 없애고 더 훌륭한 몸가짐, 마음가짐을 유지하게 합니다. 자신이 반듯해지고, 삶의 환경이 반듯해지고, 평화로움을 얻게 합니다. 이처럼 계율은 수많은 번뇌들로부터 벗어날 수 있게 해주기 때문에 우리를 구속하는 것이 아니라, 오히려 우리에게 자유를 주는 것입니다.

[질문] 오계에 대한 부처님의 말씀을 읽어보신 느낌은 어떠신가요? 오계를 지키고 싶어지셨나요? 아니면 오계를 지켜야 한다는 사실이 부담감으로 다가오셨나요?

[토의] 자신의 느낌을 아래 공간에 간단히 기록한 뒤, 그걸 토대로 다른 분들과 소감을 나누어 봅시다.

2) 계율의 능동적 확장 – 삼취정계(三聚淨戒)에 대한 설명

1. 섭율의계 - 자기 절제를 통해 더러움을 떠나는 청정성의 구현
2. 섭선법계 – 선행을 통해 인격을 향상하는 실천
3. 섭중생계 - 이웃과 세상을 널리 이롭게 하는 실천

계율이라는 용어는 '지킨다'는 의미가 강하기 때문에 '계율은 수동적이다'라는 선입견을 갖게 될 수 있습니다. 그러나 앞에서 살펴보았던 것처럼, 개인적 신행이라는 테두리를 넘어서 계율을 능동적으로 적용하는 것도 얼마든지 가능합니다. 대표적인 것이 삼취정계입니다.

섭율의계(攝律儀戒)는 그릇된 것을 하지 않는 것으로, 자기 절제를 통해 더러움을 떠나는 청정성을 구현하는 것입니다. 섭선법계(攝善法戒)는 자신의 긍정적 요소를 적극적으로 계발하는 것으로, 선행을 통해 인격의 향상으로 이끄는 실천입니다. 섭중생계(攝衆生戒)는 이웃과 세상을 널리 이롭게 하는 실천입니다. 예를 들어서 환경, 평화, 생명 같은 시민운동은 섭중생계에 포함될 수 있습니다. 오계를 삼취정계 정신에 입각하면 아래와 같이 확장할 수 있습니다.

❶ 살생하지 않겠습니다.

○ 섭율의계
- 사람의 생명을 빼앗지 않는다.
- 모든 생명을 함부로 죽이지 않는다.
- 내 앞에서 죽어가는 동물이나 그 동물을 재료로 만든 음식을 먹지 않는다.
- 몸과 말과 마음으로 사람들에게 폭력을 저지르지 않는다.
- 동물들을 비윤리적으로 사육하거나 학대하지 않는다.
- 키우던 동물을 유기하지 않는다.

○ 섭선법계
- 자비명상으로 분노하는 마음을 다스린다.
- 용서하며 원한을 원한으로 갚지 않는다.
- 음식물을 고마움으로 받고 대하며, 한 방울의 물이라도 아낀다.
- 육식을 줄이고 과식하지 않는다.
- 1주일에 하루 채식한다.

○ 섭중생계
- 나와 가족, 이웃사람들에게 자비를 베풀고 부처님처럼 존중한다.
- 사람을 살리는 일에 솔선수범한다.
- 모든 생명을 존중하고 생명살림을 실천한다.
- 사회적 약자를 보호하고 보살핀다.
- 쓰레기를 줍고 환경을 살리는 일에 앞장선다.
- 1회용 컵을 사용하지 않고 개인 컵을 사용한다.
- 물과 전기를 아끼고 쓰레기를 줄인다.
- 가까운 거리는 걷고 대중교통을 이용한다.
- 유기 동물을 입양하여 키운다.

❷ 홈치지 않겠습니다.

○ 섭율의계

- 나에게 정당하게 주어지지 않은 것을 취하지 않는다.
- 남의 지적재산권을 도용하거나 표절하지 않는다.
- 노동자를 혹사시키거나 남의 노동력을 착취하지 않는다.
- 정당한 노력 없이 부당이득을 취하지 않는다.
- 뇌물, 사기, 횡령을 범하지 않는다.

○ 섭선법계

- 명상으로 자신을 비우며 욕망을 다스린다.
- 소욕지족(少欲知足)의 정신으로 단순 소박하게 살아간다.
- 빚을 지면 꼭 갚는다.
- 땀 흘려 일하고 그에 대한 정당한 대가를 받는다.
- 투기하지 말고 투자한다.
- 기술을 배우고 익힌다.

○ 섭중생계

- 하루에 천 원 이상 보시하고 기부를 한다.
- 매월 정기적으로 보시한다.
- 어려운 사람에게 정신적, 물질적으로 도움을 준다.
- 이웃이나 불편한 사람을 위해 재능기부나 봉사활동을 한다.
- 노동자들의 복리후생을 위해 노력한다.
- 기업의 이익은 이웃과 사회를 위해 환원한다.
- 마을과 지역사회를 위해 봉사하며 참여한다.

❸ 사음하지 않겠습니다.

○ 섭율의계

- 배우자가 있는 사람 등 불륜에 해당하는 사랑을 하지 않는다.
- 미성년자와 음란한 행위를 하지 않는다.
- 누구에게든 성적 수치심을 불러일으키는 행위를 하지 않는다.

- 사랑하는 사람이라 할지라도 강요된 성행위를 하지 않는다.
- 데이트 폭력을 삼간다.
- 음란물을 만들지 않고, 유포하지 않으며, 음란물을 소유하거나 향유하지 않는다.

○ 섭선법계

- 사랑하는 사람을 존중하고 이해하며 배려한다.
- 마음을 다하는 사귐으로 서로의 인격을 성장시킨다.
- 부부가 함께 집안일을 살피고, 비난하지 않고 상대의 장점을 발견하여 표현하고, 칭찬하며 격려한다.
- 서로 신뢰를 표현하고, 비밀을 만들지 않으며, 의심하지 않는다.
- 부부나 사랑하는 사람에게 선물을 해준다.
- 이별을 할 때는 책임을 다하고, 서로의 앞길을 인정해준다.

○ 섭중생계

- 서로의 차이와 다름을 인정하고 존중한다.
- 성은 평등하다는 사실을 깊이 인식하고, 성 차별적 행위를 하지 않는다.
- 성소수자의 권리와 성적 자기결정권을 인정하고 살핀다.
- 성을 상품화하는 문화를 없애기 위해 노력한다.
- 미성년자가 성적 위험에 노출되지 않도록 보호하고 구호한다.

❹ 거짓말을 하지 않겠습니다.

○ 섭율의계

- 서로를 갈라놓는 이간질을 하지 않는다.
- 욕설, 홍보는 말, 깔보는 말, 거친 말 등 악담을 하지 않는다.
- 사실에 근거한 것일지라도 상대를 공격하려는 의도로 말하지 않는다.
- 남을 현혹시키고, 무익하며, 명료하지 않은 이상한 말을 하지 않는다.
- 근거 없는 말이나 허위사실을 유포하지 않는다.
- 모르는 것을 안다고, 아는 것을 모른다고 말하지 않는다.
- 온라인에서도 상대방이 눈앞에 있는 것처럼 말조심을 한다.

○ 섭선법계
- 사실과 진실을 말한다.
- 남에게 용기를 주는 말을 한다.
- 사랑스러운 말, 부드러운 말을 한다.
- 먼저 상대방의 말을 경청한 후에 말한다.
- 아무리 좋은 말이라도 때에 맞추어 한다.
- 상대방에게 이익이 되는 말을 한다.
- 법회에 참석하여 지혜로운 법문을 듣는다.

○ 섭중생계
- 자주 모여 회의하고 토론하며 공론을 모은다.
- 세상에 이익이 된다면 감추어진 사실을 드러내기 위해 노력한다.
- 좋은 것을 널리 알려 사람들이 알고 실천할 수 있게 한다.
- 사회정의 실현에 앞장선다.
- 상대방의 가치관과 종교를 존중한다.
- 남을 비난하기 보다는 공감하고 칭찬하기 위해 노력한다.

❺ 술을 마시지 않겠습니다.
○ 섭율의계
- 술이나 취기가 있는 음식을 삼가며 취하지 않는다.
- 아편을 비롯한 마약류를 가까이 하지 않으며, 다른 이에게 권하지도 않는다.
- 중독성 문화나 오락 등에 빠지지 않는다.
- 도박에 빠지지 않으며, 다른 이에게 권하지도 않는다.
- 음식이 내 몸을 만들므로 나쁜 음식을 먹지 않는다.
- 과식하지 않는다.
- 강제로 술을 권하지 않는다.

○ 섭선법계
- 맑은 정신을 유지하고 인간관계에도 유익한 음료를 가까이 한다.
- 맑은 정신으로 깨어 있기 위한 명상 수행을 한다.

- 적당히 먹으며, 건강을 유지할 수 있을 만큼 먹고, 건강한 식재료로 만들어진 음식을 먹는다.
- 건강을 위해 일정한 시간을 정해서 운동을 한다.

○ 섭중생계
- 정신적으로 아픈 사람을 도우며 그들의 치유에 힘쓴다.
- 외로움과 절망에 빠진 사람들에게 관심을 기울이고 돕는다.
- 가족과 이웃의 고민을 상담하고 보살피며 용기를 준다.
- 술이나 도박에 중독된 이웃이 있으면 건강한 삶의 길로 인도한다.

[질문] 오계, 팔재계, 십선계가 지향하는 가치를 변화한 현실에 맞게 발시킨 것을 '청규(淸規)'라고 합니다. 대중이 화합하며 살아가는 규칙이라는 뜻이지요. 그렇다면 가족, 학교, 회사, 동호회 등 현재 자신이 몸담고 있는 단체가 화합을 이루고 개인과 집단이 함께 성장하기 위하여 정할 수 있는 청규 조항은 어떤 것이 있을까요?

[토의] 생활 속에서 실천할 수 있는 우리들의 청규 조항을 만들어 봅시다. 아래의 공간에 청규 조항을 적어봅시다.

3. 윤리적으로 사는 방법

1) 포살을 실천하자

계율을 받고 지키는 것은 매우 중요한 수행입니다. 어째서 계율을 지키는 것이 수행이 될까요? 계란 윤리 도덕적으로 올바르고 건강한 삶을 말합니다. 삶이 바르면 거칠고 충동적이며 파괴적인 마음이 가라앉고, 자신을 성찰하는 힘이 생겨 마음이 안정되고 맑아집니다. 그리고 마음이 맑으면 진리를 이해하는 지혜를 계발할 수 있습니다. 지혜가 계발되면 자신만 생각하는 이기적 삶에서 남을 배려하고 함께 향상의 길로 나아가는 이타적 삶으로 전환하게 됩니다. 주위에서 맑고 향기롭게 살아가는 분이 있다면 잘 지켜보십시오. 누가 자신을 지켜보건 지켜보지 않건 간에 평소의 행동거지부터 남다르지 않던가요?

석가모니 부처님 당시부터 초기불교 승단은 보름에 한 번씩 그 구역에서 정진하는 전체 출가 대중이 모여서 계율을 확인하고, 계를 어긴 것을 참회하여 청정을 회복하는 포살(재계)을 했습니다. 재가불자들은 1주일마다 포살을 하는데, 절에 가서 팔재계를 받고, 법문을 듣고 스님들처럼 수행하는 날을 가졌습니다. 이렇게 평소 생활 속에서 실천하는 것이 중요합니다. 어떻게 하면 일상생활 속에서 계율을 지킬 수 있을까요?

자신의 상황에 맞는 포살 의례문을 활용하기를 권장합니다. 가장 중요한 것은 올바른 내용입니다. 또한 올바른 형식이 내용을 올바르게 규정하기도 합니다. 그런 차원에서 의례문 사용을 권하는 것입니다.

2) 점검표를 활용해 스스로를 점검하자

계율을 실천할 때 '하루에 한 가지 선행을 한다(一日一善)'라는 능동적 관점을 갖는다면 훨씬 계율을 지니기 쉬울 것입니다. 여기서 한 가지 중요한 점은 자신이 어느 때, 어느 장소에서 어떤 행동을 했는지를 육하원칙에 입각해서 구체적으로 적는 것입니다. 그 이유는 구체적인 기억만이 우리의 마음에 깊이 새겨지기 때문입니다. 선행이 마음에 새겨지면 자기도 모르는 사이에 자신을 더 훌륭한 사람으로 변화시키게 됩니다. 그리고 자신이 악행을 저질렀다면, 양심과 수치심에 입각해서 반성하게 됩니다.

우리가 점검일지를 제안하는 이유도 여기에 있습니다. 나중에 점검일지를 돌아보면 자기가 어떤 삶을 살았는지 그 흐름이 파악됩니다. 선행에 가까운 흐름이라면, 그대로 지속하면 됩니다. 만약 악행에 기운 흐름이라면, 자기 성찰을 통해 앞으로는 습관을 변화해 나가면 됩니다.

※ 양식1. 일일 점검표(예시)

일일 점검표							
일자	계율(청규) 독송	불살생	불투도	불사음	불망어	불음주	돌아보기
1/1	○	○	○	○	○	○	새해 첫날 점검 항목들을 완벽하게 실천함.
1/2	○	○	○	○	○	○	출근길 8시 경, 버스에서 임산부에게 자리를 양보하였음.
1/3	○	○	×	○	○	○	길을 가다가 현금 5만원을 주웠는데, 주인을 찾아주지 않고 내가 써버렸음.
1/4	×	○	○	○	○	○	아침에 계율(청규)을 독송하지 않고 하루를 보냈음. 소년가장을 후원하는 TV프로그램을 보고 ARS후원금 5,000원을 보냈음.
…	…	…	…	…	…	…	…

※ 양식2. 주간 점검표(예시)

주간 점검표								
구분	월	화	수	목	금	토	일	돌아보기
	금주	화합	기부	간식	칭찬	봉사	법회	
1월/1주	○	×	×	○	×	×	○	평소 즐기는 게임을 '금주'에 포함시켜 월요일에 절제하였음.
1월/2주	○	○	○	×	○	○	×	채식을 하고 싶어도, 주위 여건상 지키기 어렵다는 걸 느낌. 채식문화 확산을 위해 노력해야 할 필요성을 절감함.
1월/3주	○	×	○	○	○	×	○	이번 달은 초하루, 보름 법회가 일요일이라 모두 참석하였음. 그러나 평일에 법회가 열리면 참석할 수 없는 상황임. 법회 문화의 변화를 위해 노력할 필요성을 느꼈음.
1월/4주	×	○	×	○	○	×	×	사이가 벌어졌던 민수와 재우에게 같이 밥 먹는 자리를 만들어 화해시켰음.
…	…	…	…	…	…	…	…	…

※ 양식3. 월간 점검표(예시)

월간 점검표						
일자	불살생	불투도	불사음	불망어	불음주	비고
1월	아이에게 체벌을 하였다. 이것이 '사랑의 매'라는 말로 나의 분노를 합리화한 것은 아닌지 자꾸 마음에 걸린다.	공짜로 얻은 물건을 돈을 주고 산 것처럼 속여서 친구에게 값을 받고 팔았다.	친구가 SNS로 보낸 몰카 동영상을 시청했다.	회사에 상습적으로 지각을 했다. 그때마다 매번 '차가 밀려서 늦었습니다'라는 핑계를 댔다. 사실 늦잠을 잤기 때문인데, 거짓말을 한 것이다.	술은 비교적 잘 절제했으나, 바람을 쐬러 경마장에 갔다가 100만원을 잃었다.	
2월	…	…	…	…	…	…
…	…	…	…	…	…	…

4. 윤리적 생활의 결실

계를 가지고 계를 갖춘 자는 게으르지 않은 결과로 큰 재물을 얻습니다.
계를 가지고 계를 갖춘 자는 훌륭한 명성을 얻습니다.
계를 가지고 계를 갖춘 자는 어떤 모임에 들어가더라도 두려움 없고 당당하게 들어갑니다.
계를 가지고 계를 갖춘 자는 당황하지 않고 죽습니다.
계를 가지고 계를 갖춘 자는 몸이 무너져 죽은 뒤에 좋은 곳 혹은 천상세계에 태어납니다.

\- 대반열반경

윤리적 생활의 결실에서 가장 중요한 것은 '마음의 변화', '심성(心性)의 변화'라 할 수 있습니다. 각종 세상의 일에 마음이 끌려 다니면서 희로애락을 반복하는 것이 보통 사람들의 삶입니다. 우리의 마음을 물에 비유해 보겠습니다. 분노한 마음은 펄펄 끓는 물이고, 기뻐하는 마음은 파도치는 물이며, 멍한 마음은 탁한 물과 같습니다. 계율을 지키려고 노력하는 것은 마음의 요동치는 물결을 가라앉히고, 물을 청정하게 만드는 길입니다.

그렇기 때문에 계는 우리를 구속하는 족쇄가 아니라, 우리를 지켜주고 우리에게 자유를 주는 수단인 것입니다. 예를 들어보겠습니다. 누군가에게 애정을 품게 되면, 자기도 모르는 사이에 그 사람에게 집착하게 됩니다. 심지어 상대방의 마음에 들기 위해서 자발적인 '을'이 되어버리기도 합니다. 그러다가 어떤 계기를 만나서 자신의 애정이 상대를 나의 것으로 만들려는 욕망이고, 욕망과 집착의 그물 속에서 상대뿐만 아니라 자기 자신이 사로잡혔다는 것을 깨닫게 되면, 스스로를 가두었던 족쇄로부터 풀려나게 됩니다. 계율은 우리가 중요한 것들이라고 집착하고 있는 관계나 사건들로부터 집착을 덜어내게 도와주는 수단인 것입니다.

우리가 부처님의 가르침을 '법(法)'이라고 부르는 이유는 부처님의 가르침이 보편적인 진리이기 때문입니다. 불교의 큰 특징은 부처님께서 만들어낸 이론이 아니라 심오한 통찰을 통해 몸소 체득한 것을 가르쳐주었다는 것입니다. 그렇기 때문에 부처님의 가르침은 종교, 시대, 지역, 성별, 인종 등 여러 조건을 막론하고 적용이 가능하다는 뜻입니다. 따라서 그 가르침을 바르게 실천하는 사람들은 모두 비슷한 결실을 얻을 수 있습니다. 이것은 각자의 경험을 법우들과 나눔으로써 확인할 수 있습니다.

[토의] 일정 기간 동안 계율을 지킨 다음, 그렇게 해서 얻은 결실에 대해 각자가 경험한 일들을 아래의 공간에 솔직하게 기록해 주십시오. 그리고 이 내용으로 다른 분들과 경험담을 나누어 보시기 바랍니다. 일상생활에서 얻는 정신적인 행복, 만족감, 편안함, 인간관계의 변화 등에 초점을 맞추어 보시기 바랍니다.

II. 간경 수행

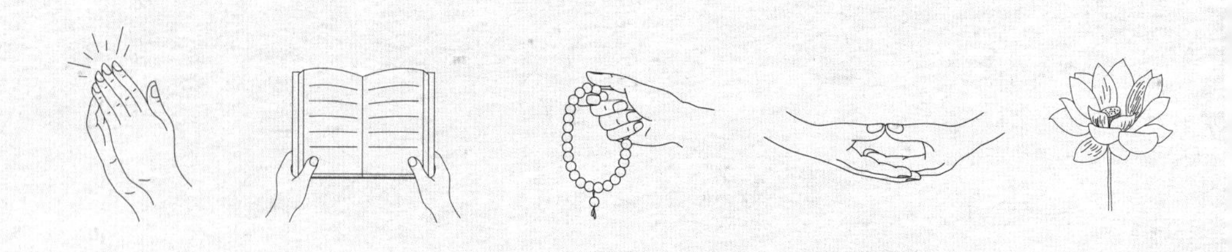

1. 경전의 중요성

2. 간경에 대한 이해
   1) 불교에서 '이해'의 중요성
   2) 확신 vs 맹신
   3) 이해의 영역과 체험의 영역

3. 간경 수행법
   1) 간경하는 법
   2) 다양한 경전 읽기

4. 간경 수행의 결실

1. 경전의 중요성

부처님의 말씀을 읽겠습니다.

비구들이여, 여기 스승이나 어떤 존중할만한 동료 수행자가 비구에게 법을 설한다. 비구들이여, 스승이나 어떤 존중할만한 동료 수행자가 비구에게 법을 설할 때, 그는 그 법에 대해서 의미를 체득하고 법을 체득한다.

그가 의미를 체득하고 법을 체득할 때 환희가 생긴다. 환희하는 사람에게 희열이 생기고, 마음으로 희열을 느끼는 사람의 몸은 고요하다. 몸이 고요한 사람은 행복을 느끼고, 행복한 사람은 마음이 삼매에 든다. 이것이 첫 번째 해탈의 조건이다. 아직 해탈하지 않은 마음은 해탈하게 되고, 아직 다하지 못한 번뇌는 다하게 되고, 아직 성취하지 못한 위없는 평안을 성취하게 된다.

- 해탈경

불교는 부처님의 가르침을 믿고 실천하는 것입니다. 부처님은 45년간 8만4천 법문을 하셨습니다. 우리는 경전을 통해 당시의 상황 속에서 부처님의 말씀과 행동을 배울 수 있습니다. 그래서 경전을 읽는 것은 부처님을 닮고, 부처님처럼 살아가는 첫 걸음인 것입니다.

우리는 '말법시대(末法時代)'라는 말을 자주 듣습니다. 그런데 정말로 요즘이 말법시대일까요? 이 문제를 깊이 생각해 볼 필요가 있습니다. 부처님의 가르침은 그 분의 법문을 문자로 기록한 경전을 통해 전승되고 있습니다. 예전에는 한문을 아는 일부 지식인 계층만 경전을 직접 읽을 수 있었고, 나머지 대다수는 그들의 해설만으로 불교에 접근할 수밖에 없었습니다. 하지만 지금은 한글로 번역된 부처님의 경전을 손쉽게 접할 수 있는 시대이므로 바로 '정법시대(正法時代)'라고 할 수 있습니다.

B.C.94년 경, 스리랑카에서는 부처님의 가르침을 오래도록 세상에 남기기 위해 경전을 문자로 기록하였습니다. 그리고 동아시아에서는 많은 스님들이 경전을 구하기 위해 목숨을 걸고 인도로 구법을 떠나기도 했습니다. 이러한 일화들은 부처님의 가르침이 담긴 경전이 얼마나 큰 가치를 담고 있는지 보여주는 사례입니다.

경전을 읽는 것이 왜 중요할까요? 자신의 생각을 아래의 공간에 적고, 그 내용을 다른 분들과 나누어 봅시다.

2. 간경에 대한 이해

1) 불교에서 '이해'의 중요성

도반이여, 바른 견해가 생기는 데에 두 가지 조건이 있습니다. 다른 사람으로부터 듣는 것과 지혜롭게 마음기울이는 것입니다. 도반이여, 이 두 가지 조건이 바른 견해를 생기게 합니다.

- 교리문답의 긴 경

경전을 통해 부처님이 말씀하신 뜻을 바르게 이해하려는 것이 간경의 목적입니다. 예를 들어서, 동쪽으로 가라고 한 말을 남쪽으로 가라는 뜻으로 잘못 이해한 사람은 아무리 열심히 노력한다고 해도 처음 목표에 도달할 수 없을 것입니다. 그와 마찬가지로 부처님의 가르침을 바르게 이해하지 못한 사람은 바른 신행활동을 할 수 없습니다. 그래서 성스러운 팔정도(八正道)에서 '바른 견해'와 '바른 사유'의 두 가지 항목이 앞에 배치된 것입니다.

정성스럽게 경전을 읽는 것은 부처님 법문을 직접 듣는 것과 동일합니다. 그리고 경전을 읽으며 그 의미를 사유하는 것은 지혜롭게 마음을 닦는 행위입니다. 따라서 이와 같은 자세로 경전을 읽으면 자연스럽게 바른 견해가 세워질 것입니다.

'이해하는 힘'은 어떤 상황을 만났을 때 겉으로 드러난 부분에만 집착하지 않고, 그 상황이 벌어진 원인을 종합적으로 이해할 수 있게 해줍니다. 불교에서는 모든 일이 원인에 의해 일어난다고 봅니다. 원인 없이 일어나는 일은 하나도 없습니다. 사리불 존자를 부처님에게 이끌었던 앗사지 존자의 게송이 그것을 상징하고 있습니다.

> 모든 법은 원인에 의해 일어난다고
> 여래께서는 그 원인을 말씀하십니다.
> 모든 법의 소멸도 그러합니다.
> 이것이 대사문의 말씀입니다.
>
> \- 율장, 대품

어떤 사람이 그런 행동을 하게 된 원인과 조건을 이해하게 될 때 비로소 진정한 용서와 화해가 가능합니다. '나도 저와 같은 상황에 처했다면 어떻게 했을까?'라는 성찰이 가능해지는 것입니다. 또한 자신을 비하하는 마음도 없어집니다. 나보다 우월한 처지에 있는 사람을 만나더라도, 현재의 모습은 원인과 조건에 의해 형성된 것임을 이해하기 때문입니다.

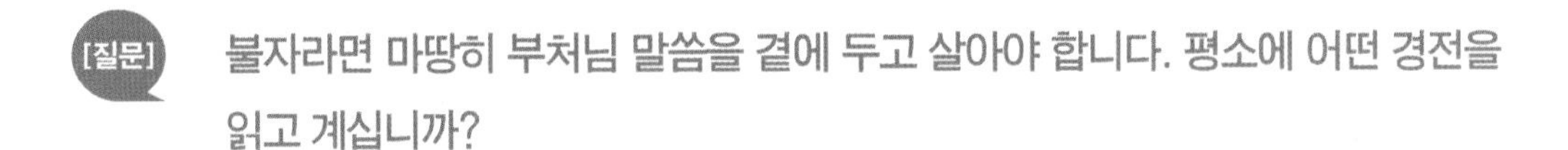

[질문] 불자라면 마땅히 부처님 말씀을 곁에 두고 살아야 합니다. 평소에 어떤 경전을 읽고 계십니까?

[토의] 자신이 읽었거나 읽고 있는 경전 가운데 가치관에 변화를 주었던 경전과 그 내용을 아래의 공간에 간략하게 기록해 보세요. 또한 그 경전을 선택하게 된 동기도 적어보세요. 이를 토대로 다른 분들과 소감을 나누어 봅시다.

2) 확신 vs 맹신

부처님의 말씀을 읽겠습니다.

깔라마인들이여, ① 소문으로 들었다고 해서, ② 대대로 전승되어 온다고 해서, ③ '그렇다고 하더라'고 해서, ④ 성전에 써있다고 해서, ⑤ 논리적이라고 해서, ⑥ 추론에 의해서, ⑦ 이유가 적절하다고 해서, ⑧ 우리가 사색해서 얻은 견해와 일치한다고 해서, ⑨ 유력한 사람이 한 말이라고 해서, ⑩ 혹은 '이 사문은 우리의 스승이시다'라는 생각 때문에 진실로 받아들이지 마십시오.

깔라마인들이여, 스스로가 '이러한 법들은 해로운 것이고, 이러한 법들은 비난받아 마땅한 것이며, 이러한 법들은 지혜로운 사람들의 비난을 받을 일이고, 이러한 법들을 전적으로 받들어 행하면 손해와 괴로움이 있게 된다'고 알게 되면 그때 그것들을 버리도록 하십시오.

깔라마인들이여, 스스로가 '이러한 법들은 유익한 것이고, 이러한 법들은 비난받지 않을 것이며, 이러한 법들은 지혜로운 사람들의 칭찬을 받을 일이고, 이러한 법들을 전적으로 받들어 행하면 유익하고 행복하게 된다'고 알게 되면 그때 그것들을 받아들이도록 하십시오.

- 깔라마 경

부처님은 이처럼 스스로 조사해서 진리라고 확신한 뒤에 그 가르침을 믿으라고 천명하셨습니다. 그렇기 때문에 어떤 사람이 "나는 부처님의 가르침을 믿습니다"라고 말한다고 해서 그 사람이 부처님의 가르침을 이해한 것은 아닙니다. 예를 들어 보겠습니다. 어떤 학생이 자기가 수학 문제를 풀 것이라고 자신만만하다고 해서 그 수학문제를 해결한 것은 아닙니다. 그 문제 속에 담긴 수학적 원리를 이해해야만 그 문제를 풀 수 있습니다. 이렇게 자신이 직접 확인한 답에 대한 믿음은 흔들리지 않게 될 것입니다. 이것이 확신입니다.

부처님의 가르침에 대한 분명한 이해 없이 믿는 것만으로는 지혜를 얻는데 한계가 있습니다. 인도는 말할 것도 없고, 지금은 이슬람 국가로 분류되는 중앙아시아의 나라들도 고대에는 불교 국가였습니다. 그러나 이들 나라에서 불교는 사실상 소멸되었던 것입니다. 표면적으로는 이슬람의 정복이 가장 큰 원인입니다. 그러나 정말 그것만으로 불교가 붕괴되었던 것일까요? 지혜를 갖춘 진정한 불자가 줄어든 탓도 있습니다. 신심과 지혜는 마치 수레의 두 바퀴처럼 함께 가야만 하는 것입니다.

[질문] 불교는 용기를 가진 사람들을 위한 종교라고 합니다. 깔라마인들에게 하셨던 부처님의 법문을 읽어보신 느낌은 어떤가요?

[토의] 그 소감을 아래 공간에 간단히 기록한 뒤, 그걸 토대로 다른 분들과 소감을 나누어 봅시다.

3) 이해의 영역과 체험의 영역

맛있는 음식을 보고도 먹지 않으면 굶어죽는 것처럼,
백가지 약을 잘 아는 의사도 병에 걸리면 낫지 못하는 것처럼,
가난한 사람이 밤낮없이 남의 돈을 세어도 자기는 한푼도 차지할 수 없는 것과 같습니다.

- 화엄경, 보살명난품

경전을 읽는 것은 중요한 일입니다. 바른 견해는 그 사람의 인생을 변화시키기 때문입니다. 바른 견해가 앞장서면, 그 뒤를 바른 사유, 바른 말, 바른 행위, 바른 생계, 바른 노력, 바른 마음챙김, 바른 삼매가 뒤따르게 됩니다. 이처럼 성스러운 팔정도에 입각해서 살아가는 불자들은 말과 행동이 청정하게 바뀝니다. 말과 행동을 청정하게 하는 사람의 인생이 좋은 방향으로 가지 못한다면 그것이 오히려 이상할 것입니다.

그런데 경전을 읽고 공부하는 것은 이해의 영역에 해당합니다. 그것만으로는 아직 완전하지 않습니다. 아는 만큼 행동하지 못한다면, 그 사람이 정말로 아는 것일까요? 앎은 행동으로 검증됩니다.

그렇다면 부처님께서는 일상생활에서 어떻게 말하고 행동하셨을까요? 웃따라 바라문은 부처님 곁에서 부처님의 7개월 동안 일거수일투족을 관찰하고 나서 그 모습을 다음과 같이 회고하였습니다.

고따마 존자께서는 걸을 때에 오른발부터 먼저 내딛습니다. 그 분은 발을 너무 멀리 뻗지도 않고, 너무 가까이 내려놓지도 않습니다. 그 분은 너무 빨리 걷지도 않고, 너무 느리게 걷지도 않습니다. 무릎이 서로 부딪히지 않고, 발목이 서로 부딪히지 않고 걷습니다. 그 분은 갈 때 넓적다리를 올리거나, 내리거나, 안으로 구부리거나, 벌리지 않습니다. 걸을 때는 고따마 존자의 하반신만 움직이며, 몸으로 애를 써서 걷지 않습니다.

돌아볼 때에 고따마 존자께서는 온몸으로 돌아서 봅니다. 그 분은 위로 올려다보거나, 아래로 내려다보거나, 이리저리 두리번거리며 보지 않습니다. 쟁기의 범위만큼 봅니다.

그 분은 실내로 들어설 때에 몸을 쳐들거나, 낮추거나, 앞으로 굽히거나, 뒤로 굽히지 않습니다. 그 분은 자리에서 너무 멀리서나 너무 가까이에서 몸을 돌리지 않으며, 손으로 짚고 자리에 앉지 않고, 자리에 몸을 던지지 않습니다.

그 분은 실내에서 앉아 있을 때 안절부절 못하여 손을 만지작대거나, 바닥에 비비지 않습니다. 그 분은 무릎과 무릎을 꼬거나, 발목과 발목을 꼬거나, 손으로 턱을 괴고 앉지 않습니다. 그 분은 실내에 앉아 있을 때 두려워하지 않고, 떨지 않고, 동요하지 않고, 안절부절하지 않습니다.

- 브라흐마유 경

저렇게 일부 모습만 보더라도 부처님은 평소 자신의 말과 행동이 조금도 어긋나지 않게 여법하게 사셨다는 것을 알 수 있습니다. 그렇기에 부처님의 별칭으로 '명행족(明行足)'이란 표현이 있는 것입니다.

[질문] 아는 만큼 행동하기 어렵다고 하는 이유는 무엇일까요? 혹시 그 앎이 잘못되었기 때문은 아닐까요? 진정한 이해는 어떻게 완성될까요?

[토의] 말과 행동이 일치했거나, 일치하지 않았던 경험을 아래 공간에 간단히 기록한 뒤, 그걸 토대로 다른 분들과 소감을 나누어 봅시다.

3. 간경 수행법

1) 간경하는 법

비구가 해야 할 일에는 세 가지가 있다. 첫째는 좌선, 둘째는 독경, 셋째는 중생교화이다.

- 대비구 삼천위의

부처님 재세시에는 인도의 뜨거운 태양이 저물기 시작하면, 낮 동안 숲 속에 머물던 스님들이 사원으로 모여 부처님의 법문을 들었습니다. 경전의 기록에 의하면, 부처님은 서쪽을 등지고 동쪽을 향해 앉으셨고, 스님들은 동쪽에서 서쪽을 보고 앉아서 법문을 들었다고 합니다.

우리가 경전을 읽는 것은 부처님의 법문을 듣는 것과 동일한 행위입니다. 따라서 간경을 할 때는 마치 부처님의 육성을 직접 듣는 것처럼 경건한 마음과 몸가짐을 갖추어야 합니다. 과거에는 부처님의 법문을 듣다가 지혜를 얻은 사람이 부지기수로 많았습니다. 그래서 간경은 스님들이 해야 하는 세 가지 의무 가운데 하나로 중시되었습니다.

경전을 읽기 위해서 마음을 청정하게 가다듬는다고 해도 부처님이 직접 말씀해주시는 상황과 같을 수는 없습니다. 그렇지만 최대한 그 분에 대한 존경심을 갖고 경전을 읽어야 할 것입니다. 그리고 아래와 같은 점검표 양식을 참조하여 하루하루 간경 수행 여부를 기록하는 것도 꾸준한 신행활동을 유지하는데 큰 도움이 됩니다. 모든 일이 그렇지만 수행의 성취에서도 가장 중요한 요소가 꾸준함이기 때문입니다.

※ 양식1. 간경 점검표-1 (예시)

간경 점검표							
구분	월	화	수	목	금	토	일
	반야심경	수심결	자애경	신심명	보배경	천수경	길상경
1월/1주	○	○	○	○	○	○	○
1월/2주	○	○	○	×	○	○	×
1월/3주	○	×	○	○	○	×	×
1월/4주	×	○	×	○	○	×	×
…	…	…	…	…	…	…	…

※ 양식2. 간경 점검표-2(예시)

간경 점검표 - 『금강경』, 매일 1개 분(分) 읽기							
구분	월	화	수	목	금	토	일
1월/1주	법회인유분	선현기청분	대승정종분	묘행무주분	여리실견분	정신희유분	무득무설분
1월/2주	의법출생분	일상무상분	장엄정토분	무위복승분	존중정교분	여법수지분	이상적멸분
1월/3주	지경공덕분	능정업장분	구경무아분	일체동관분	법계통화분	이색이상분	비설소설분
1월/4주	무법가득분	정심행선분	복지무비분	화무소화분	법신비상분	무단무별분	불수불탐분
1월/5주	위의적정분	일합이상분	지견불생분	응화비진분	…	…	…

2) 다양한 경전 읽기

선남자여, 당신은 이미 보리심을 내고, 보살행을 구하고 있습니다. 보리심을 내는 것도 어려운 일인데, 보살행을 구하는 것은 더더욱 어려운 일입니다. 선남자여, 모든 것을 아는 지혜를 성취하려면 반드시 선지식을 찾아야 합니다. 선지식을 찾는 일에 고달픈 마음이나 게으른 마음을 내지 말고, 선지식을 보고 만족한 마음을 내지 말며, 선지식의 가르침에 그대로 순종하고, 선지식의 교묘한 방편에 허물을 보지 마십시오.

- 화엄경, 입법계품

자신이 믿는 하나의 경전만을 일생 동안 수지 독송하는 분들도 있습니다. 그렇지만 '8만 4천 법문'이라 칭할 만큼 방대한데, 그 경전의 바다에서 꼭 지금 만난 경전만이 옳다고 고집하는 것은 편식을 하는 것과 같습니다.

부처님은 '모든 것은 변한다(諸行無常)'라고 천명하셨습니다. 이 진리에 입각한다면, '나'의 가치관과 주변의 상황은 계속 변해갑니다. 따라서 자신에게 필요한 경전의 주제도 계속 변할 수 있습니다. 이런 부분은 다양한 경전을 읽지 않은 사람은 느끼지 못하는 지점입니다.

평소에 읽고 공부하는 경전이 있으신가요? 혹 그런 경전이 있다면, 그 경전을 수지 독송하게 된 계기를 회상해서 아래의 공간에 적어보시기 바랍니다. 수지하는 경전이 없다면, 앞으로 어떤 경전을 선택해야 좋을지 그 이유를 적어보세요.

아래의 내용을 토대로 다른 분들과 소감을 나누어 봅시다. 다양한 경전 읽기의 필요성에 주안점을 두시기 바랍니다.

4. 간경 수행의 결실

다음 부처님의 말씀을 읽고 함께 생각해 봅시다.

비구들이여, 세상에는 세 종류의 환자가 있습니다. 어떤 것이 셋인가요?

비구들이여, 여기 어떤 환자는 적당한 음식을 얻건 못 얻건 간에, 적당한 약을 얻건 못 얻건 간에, 적당한 간병인을 얻건 못 얻건 간에, 병이 회복되지 않습니다.

비구들이여, 여기 어떤 환자는 적당한 음식을 얻건 못 얻건 간에, 적당한 약을 얻건 못 얻건 간에, 적당한 간병인을 얻건 못 얻건 간에, 병이 회복됩니다.

비구들이여, 여기 어떤 환자는 적당한 음식을 얻을 때에만 병이 회복되고, 적당한 음식을 얻지 못하면 병이 회복되지 않습니다. 적당한 약을 얻을 때에만 병이 회복되고, 적당한 약을 얻지 못하면 병이 회복되지 않습니다. 적당한 간병인을 얻을 때에만, 병이 회복되고 적당한 간병인을 얻지 못하면 병이 회복되지 않습니다.

비구들이여, 세상에는 세 종류의 환자에 비유할 수 있는 세 부류의 사람이 있습니다. 어떤 것이 셋인가요?

비구들이여, 여기 어떤 사람은 여래를 만나는 기회를 얻건 못 얻건 간에, 여래가 설한 법(法)과 율(律)을 듣건 듣지 못하건 간에, 선법(善法)들에 대해 확실함과 올바름에 들지 못합니다.

비구들이여, 여기 어떤 사람은 여래를 만나는 기회를 얻건 못 얻건 간에, 여래가 설한 법과 율을 듣건 듣지 못하건 간에, 선법들에 대해 확실함과 올바름에 듭니다.

비구들이여, 그러나 어떤 사람은 여래를 만나는 기회를 얻을 때에만 유익한 법들에 대해 확실함과 올바름에 들고, 기회를 얻지 못할 때에는 유익한 법들에 대해 확실함과 올바름에 들지 못합니다.

여래가 설한 법과 율을 들을 때에만 유익한 법들에 대해 확실함과 올바름에 들고, 법과 율을 듣지 못할 때에는 유익한 법들에 대해 확실함과 올바름에 들지 못합니다.

비구들이여, 그런 사람에게 교법을 허락합니다. 비구들이여, 나아가서 이 사람 때문에 다른 사람들에게도 법을 설해야 합니다.

- 환자경

위의 분류에서 우리는 세 번째 유형에 속합니다. 즉 부처님을 만나거나, 부처님의 가르침을 배워야만 하는 사람입니다. 부처님의 가르침을 바르게 이해하면 분명히 유익함을 얻을 수 있습니다. 부처님의 가르침은 보편적인 진리이기 때문에 '법(法)'이라고 합니다. 우리는 태어나고 자라난 국가, 지역, 가정환경에 상당한 영향을 받습니다. 그러한 요소들 때문에 어떤 현상에 대해 선입견과 고정관념을 갖게 됩니다. 그런데 부처님의 가르침을 이해하게 되면, 선입견과 고정관념으로부터 반드시 벗어나게 되는 것입니다.

지금까지 독경 · 간경에 대해 말씀드렸습니다. 그렇다면 경전을 독경하고 간경했을 때, 어떤 이익이 있고 공덕이 있을까요? 이 점에 대해서는 〈금강경〉과 〈법화경〉의 경전 내용을 통해 말씀드릴까 합니다.

경을 베끼고, 수지(受持)하며 독송해서
남을 위해 설해준다면 그 복덕은 어떠하겠는가.
헤아릴 수 없을 만큼 복덕이 무량할 것이다.

- 금강경

수보리야, 선남자 선여인이 이 경을 수지해 독송할 때,
주위 사람들로부터 멸시와 천대를 받을 수도 있다.
만약 그런 역경계를 만나면 이 사람은 전세의 죄업으로 인해
악도에 떨어질 것인데, 〈금강경〉을 수지 · 독송한 공덕으로 인해
현세에 주위 사람들로부터 멸시와 천대를 미리 받는 것이다.
따라서 전세의 죄업이 바로 소멸되고,
더 나아가 가장 높은 최상의 깨달음을 얻게 된다.

- 금강경

경전을 독송하는 사람은 근심 걱정이 없고, 몸에 병이 생기지 않으며,
얼굴이 깨끗하고, 다음 세상에 빈궁하거나 천한 곳에 태어나지 않는다.
또한 많은 사람들이 마치 성인을 사모하듯 좋아하며,
천상의 동자들이 따라다니면서 시중들고,
다른 사람들로부터 칼이나 작대기로 해를 당하지 않으며,
독약으로부터 해함을 당하지 않는다.
혹 어떤 사람이 욕을 하면 그 입이 막히고,
여러 곳을 다녀도 두려움이 없으며, 사자처럼 두렵지 않아
지혜의 밝은 광명이 해와 달처럼 법화행자를 비출 것이다."

- 법화경, 안락행품

방금 경전 문구를 빌려서 말씀드린 대로 경전 독송의 공덕은 결코 적지 않습니다. 전세의 죄업 소멸은 물론이거니와 이번 생에서도 안위와 행복이 있습니다. 또한 신체가 건강하고, 많은 이들로부터 존경을 받으며, 밝은 지혜를 얻고, 다음 세상에는 좀 더 좋은 곳에 태어날 수 있습니다.

무엇보다도 독송 간경을 통해 해탈 열반을 얻을 수 있다는 점, 잊지 마시기 바랍니다. 그저 불자님들에게 듣기 좋으라고 하는 말이 아닙니다. 이는 바로 인과법이 작용하기 때문입니다.

간경 수행으로 좋은 경험을 하셨나요? 아래의 공간에 그 경험을 적어보세요. 일상생활에서 얻는 정신적인 행복, 만족감, 편안함, 인간관계의 변화 등에 초점을 맞추어 보시기 바랍니다.

III. 염불 수행

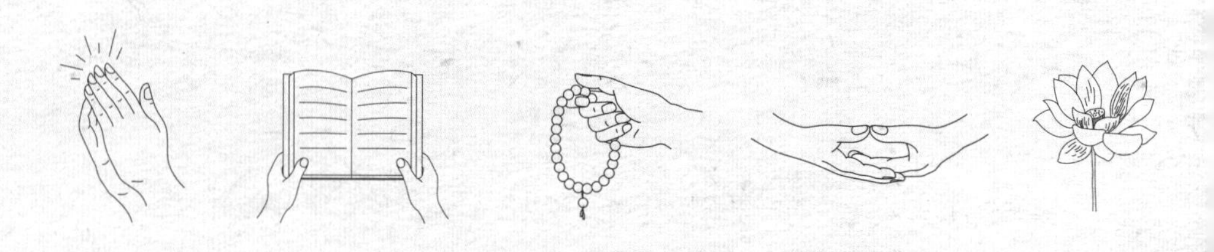

1. 위대한 분, 부처님

부처님께서는 부다가야의 보리수 아래서 정각을 성취하신 뒤 다섯 비구를 제도하기 위해 녹야원으로 향하셨습니다. 길에서 만난 우빠까 유행승이 "도반이여, 그대의 감관은 밝습니다. 피부색은 청정하고 빛이 납니다. 도반이여, 그대는 어느 분께로 출가했습니까? 그대의 스승은 누구십니까? 그대는 어느 분의 가르침을 따르고 있습니까?"라고 묻자, 부처님은 다음과 같은 말씀을 하셨습니다.

나는 모든 것에 뛰어난 자요, 모든 것을 아는 자이며
어떤 것에도 물들지 않고
모든 것을 버리고 갈애가 소멸하여 해탈했고
스스로 최상의 지혜로 알았으니
누구를 스승이라 부르겠습니까?

나에게는 스승도 없고,
유사한 이도 없으며
지상에도 천상에도
나와 견줄 이가 없습니다.

나는 세상에서 아라한이고,
위없는 스승이며,
유일한 정등각자이고
모든 번뇌가 꺼져 적멸을 이루었습니다.

나는 까시 성으로 가서
법륜(法輪)을 굴릴 것입니다.
어두운 이 세상에
불사(不死)의 북을 울릴 것입니다.

- 성구경

인류 역사에 수많은 위인들이 출현하였지만, 그들 가운데 부처님이 으뜸입니다. 그 이유는 우리가 불자여서가 아닙니다. 부처님처럼 인간 존재를 본질적으로 꿰뚫어 이해한 분은 없기 때문입니다. 특히 인간을 물질(色), 느낌(受), 개념적 인식(想), 심리현상들(行), 분별적 인식과 의식(識) 등 다섯 가지 구성요소로 분석한 것은 당시까지 전무후무한 일이었습니다.

그리고 부처님은 일반인은 물론이거니와, 사리불 존자와 목건련 존자 같은 대아라한들도 갖지 못한 비범한 능력을 갖고 계셨습니다. 이것을 '열 가지 힘(十力)'이라 칭하는데, 다른 이들에게 없는 지혜라는 뜻으로 '불공지(不共智)'라고도 합니다. 경전에 의하면 그 내용은 아래와 같습니다.

❶ 옳은 것과 옳지 않는 것을 사실대로 꿰뚫어 아는 지혜의 힘
- 知是處非處智力

❷ 삼세에 행하는 업의 과보를 조건과 원인에 따라 사실대로 아는 지혜의 힘
- 知業異熟智力

❸ 태어날 곳으로 인도하는 모든 길을 사실대로 아는 지혜의 힘
- 知遍趣行智力

❹ 여러 요소와 다양한 요소를 가진 세상을 사실대로 아는 지혜의 힘
- 知種種界智力

❺ 중생들의 다양한 성향을 사실대로 아는 지혜의 힘
- 知根上下智力

❻ 모든 중생들 근기의 수승하고 저열한 상태를 사실대로 꿰뚫어 아는 지혜의 힘 - 知種種勝解智力

❼ 선(禪), 해탈, 삼매의 더러움, 깨끗함, 출현을 사실대로 아는 지혜의 힘
- 知禪定解脫等持等至染淨智力

❽ 한량없는 전생의 갖가지 삶을 기억하여 아는 지혜의 힘
- 知宿住隨念作證智力

❾ 중생들이 지은 그 업에 따라 가는 것을 꿰뚫어 아는 지혜의 힘
- 知天眼作證智力

❿ 심해탈과 혜해탈을 최상의 지혜로 실현하고 구족하여 머무는 지혜의 힘
- 知漏盡作證智力

이러한 능력을 갖추고 계셨기 때문에 부처님께서는 정각을 성취하신 이래로 지금까지 많은 중생들을 깨달음의 세계로 인도해 주신 것입니다. 이러한 사례는 너무나 많아서 하나하나 거론할 수 없을 정도입니다. 부처님께서 정각을 성취한 다음 해에 세나니가마로 가시어 가섭 삼형제를 제도하신 일화를 소개하겠습니다.

부처님은 먼저 우루웰라 선인을 찾아가셨다. 그곳에는 독룡이 사는 화당(火堂)이 있었는데, 부처님은 일부러 그 화당에서 하룻밤을 묵게 해달라고 청했다. 우루웰라 선인은 독룡에게 화를 당할 것이라며 거듭 만류하였지만, 부처님의 뜻을 굽힐 수 없어 마지못해 청을 허락하였다. 부처님을 본 독룡이 살기등등하게 화염을 내뿜자, 부처님께서는 불의 까시나 선정을 개발하여 독룡이 뿜는 것보다 더 거대한 화염을 만들어내셨다. 화당은 부처님과 독룡이 뿜는 화염으로 붉게 달아올랐다. 다음날 아침, 부처님이 화당에서 멀쩡하게 걸어서 나오시자 우루웰라 깟사빠는 깜짝 놀랐다.

어느 날, 빤나라는 이름의 노예 소녀가 죽었다. 그녀의 시신은 대마(大麻)로 감싸 묘지에 버려졌다. 부처님은 시신을 감쌌던 대마를 집어서 부드럽게 구더기를 제거하신 뒤 그것으로 가사를 만들려 하셨다. 제석천은 부처님이 천을 세탁할 수 있게 연못과 평평한 바위를 만들었으며, 빨래를 널 수 있도록 까꾸다 나뭇가지를 밑으로 늘어뜨렸다. 다음날 아침 전에 보이지 않던 연못, 바위, 나뭇가지가 제석천이 행한 일임을 알게 된 우루웰라 선인은 깜짝 놀랐다.

500명의 선인들 중 일부는 "강물에 몸을 완전히 담근 뒤에 강변에 올라가야 악행이 씻겨나간다"는 잘못된 믿음을 가지고 있었다. 다른 일부는 "강물에 한번 몸을 완전히 담그면 악행이 씻겨나간다"는 잘못된 믿음을 가지고 있었다. 다른 일부는 "반복해서 물에 들어갔다 나왔다 해야 악행이 씻겨나간다"는 잘못된 믿음을 가지고 있었다. 그래서 겨울밤에 500명의 선인들은 네란자라 강으로 내려가 물에 뛰어들었던 것이다. 부처님께서는 신통력으로 500개의 화로를 만들어 이들이 몸을 녹일 수 있도록 하셨다. 우루웰라 선인은 깜짝 놀랐다.

\- 율장, 대품

다른 사례를 하나 더 들어보겠습니다. 사리불 존자께서 스님들의 잠재성향을 고려하여 수행을 지도하셨던 일화입니다. 목련 존자에게 두 제자가 있었습니다. 한 비구는 세탁업자 출신이었고, 다른 비구는 대장장이 출신이었습니다. 목련 존자는 세탁업자 출신에게 들숨 날숨에 대한 알아차림을 시켰고, 대장장이 출신에게는 육체의 더러움에 대한 관찰을 시켰습니다. 그런데 오랜 시간이 걸려도 별다른 성과가 없었다고 합니다. 이를 본 사리불 존자는 다음과 같이 충고하였습니다.

> 저 세탁업을 하다가 출가한 비구는 부정관(不淨觀)으로 가르쳐야 합니다. 왜냐하면, 그 사람은 깨끗한 마음을 지니고 오랫동안 무엇이나 깨끗이 하려는 생각으로 살아왔으므로 부정관이라는 말을 들으면, 그 마음이 열려서 아무런 걸림이 없을 것이기 때문입니다.
>
> 또 저 대장장이 비구에게는 출입식념(出入息念)으로 마음을 지켜 나가게 가르쳐야 합니다. 왜냐하면, 그는 항상 풀무를 손에 잡고 바람의 많고 적음을 잘 알았기 때문입니다. 그렇게 하면 마음으로 깨달을 수 있을 것입니다.
>
> \- 출요경

수행 방법을 바꾼 두 스님은 모두 아라한이 되었다고 합니다. 이처럼 부처님과 위대한 제자들은 사람마다 다른 성향을 간파하여 중생을 이끌었던 것입니다. 사람들을 자신이 경험한 것과 동일한 경험으로 이끌었던 능력이야말로 부처님의 진정한 위대함이자 대신통력인 것입니다.

많은 사람들이 부처님을 다른 종교의 '신'과 같은 존재로 추앙하고 있습니다. 만약 전지전능한 신이 존재한다면, 왜 이 세상에는 전쟁이 끊이지 않는 것일까요? 왜 장애를 가지고 태어나는 사람들이 있는 것일까요? 왜 인류의 여러 가지 고통이 종식되지 않는 것일까요? 부처님은 신일까요? 아니면 진리의 길을 먼저 걸어간 선각자일까요?

부처님에 대해 어떤 생각을 가지고 계신지 아래의 공간에 적어보십시오. 자신의 의견을 다른 분들과 나누어 보시기 바랍니다.

2. 염불이란 무엇인가?

1) 염불의 기원

부처님의 말씀을 읽겠습니다.

위사카여, 여기 성스러운 제자는 다음과 같이 여래를 반복해서 기억합니다. '이런 그 분 세존께서는 아라한이며, 바르게 깨달은 분이며, 명지와 실천이 구족한 분이며, 피안으로 잘 가신 분이며, 세간을 잘 알고 계신 분이며, 가장 높은 분이며, 사람을 잘 길들이는 분이며, 하늘과 인간의 스승이며, 부처이며, 세존이다'라고. 그가 이와 같이 여래를 반복해서 기억할 때 마음이 고요해지고, 기쁨이 솟아나고, 마음의 오염이 제거됩니다.

위사카여, 이것은 마치 더러운 머리를 바른 방법으로 깨끗이 씻는 것과 같습니다. 위사카여, 그러면 어떻게 더러운 머리를 바른 방법으로 깨끗이 씻습니까? 가루반죽, 찰흙, 물, 그 사람의 적절한 노력에 의해서 깨끗이 씻습니다. · · · · 이러한 성스러운 제자는 범천의 포살을 준수하는 자라 합니다.

- 팔관재계경

이처럼 '여래 십호'로 상징되는 부처님의 덕을 기억하고 잊지 않는 것이 오늘날 염불(buddhānusmṛti, buddhānussati)의 기원입니다. 위에서는 여래 십호를 한글로 풀었습니다. 한문 용어로는 아라한(阿羅漢), 정등각(正等覺), 명행족(明行足), 선서(善逝), 세간해(世間解), 무상사(無上士), 조어장부(調御丈夫), 천인사(天人師), 불(佛), 세존(世尊) 등 열 가지입니다. 이와 같은 부처님의 공능을 기억하는 제자는 '범천의 포살을 준수하는 자'라고 최고의 찬사를 받았던 것입니다. 그리고 부처님 당시부터 재가자들은 이러한 염불을 주요한 수행법으로 삼았습니다. 부처님께서 열반하신 뒤에는 스승을 연모하는 마음이 불탑신앙으로 발전하면서 더욱 염불이 성행했던 것입니다.

다시 말해서 염불은 본래 인도에서 '나무불(南無佛)'로부터 불, 법, 승 삼보를 생각하거나, 계를 생각함(念戒), 보시를 생각함(念施), 천상을 생각함(念天)을 덧붙인 육수념(六隨念)이 있습니다. 또한 휴식을 생각함(念休息)과 들숨날숨을 알아차림(念安般), 몸이 항상하지 않음을 알아차림(念身非常), 죽음을 생각함(念死) 등을 첨가한 십수념(十隨念)의 사마타가 있습니다. 그리고 신수심법(身受心法)을 관찰하는 사념처관(四念處觀)의 위빠사나가 결합한 지관쌍수(止觀雙修)를 수행해서 삼매를 통과하면 선정과 지혜를 이루어 열반에 도달하는 수행방법인 것입니다.

[질문] 여러분은 어떤 이유로 염불에 관심을 가지게 되셨나요?

[토의] 그 계기가 된 사건을 아래의 공간에 적어보십시오. 그리고 다른 사람들의 계기는 무엇인지 나누어 보시기 바랍니다.

2) 염불수행의 변화 발전

① 아미타불 염불

앞에서 언급한 염불수행에서 좁은 의미의 정토경전이 인도에서 성립하면서 믿음과 발원, 염불이 결합한 새로운 염불신행이 성립하였습니다. 이것은 바로 아미타불의 원력에 부합한 신원행(信願行)입니다. 불교의 모든 수행에서 삼매를 체득하는 것은 매우 중요한 과정입니다. 사람들이 살아가는 방식이 모두 다른 것처럼 수행의 방식에서 삼매를 이루는 수행방법에 따라서 달라집니다. 즉, 수행하는 도중에 부처님을 목도하는 반주삼매, 염불하는 도중에 부처님을 친견하는 견불(見佛)의 관불삼매나 염불삼매입니다. 이처럼 염불하는 가운데 부처님을 친견하는 것은 바로 견성(見性)하거나 견도(見道)하여 열반을 체현하는 것입니다. 이러한 염불신행은 염불의 대상과 염불의 방법에 따라 구분합니다. 먼저 염불의 대상에 대해서 말씀드리면 다음과 같습니다.

열반에 도달하는 염불신행이 시대가 흐르면서 염불의 힘만으로도 고통스런 사바세계를 벗어나 아미타불께서 중생들을 위해서 건립한 즐겁고 수행의 조건이 최적의 상태인 극락세계에 태어나고자 하는 중생들의 염원이 더욱 간절해졌습니다. 이것을 정토신행이라고 합니다. 정토신행은 402년 중국의 동림사(東林寺)에서 『반주삼매경』에 의거해서 백련결사(白蓮結社)라는 염불결사가 출발한 것을 기점으로 대성행하게 됩니다. 이러한 정토신행은 당시부터 지금까지 중국불교는 물론 한국불교에도 깊은 영향을 주었습니다. 정토염불이 성립하는 근거를 함께 읽겠습니다.

> 사리불이여! 극락국토에 태어나는 중생들은 모두 보살도에서 결정코 물러나지 않는 이들이며, 그 가운데 이번 생을 마치면 성불하는 이들도 그 수를 헤아릴 수 없나니, 다만 한량없고 가없는 아승기겁 동안 말해야 가능하다.
>
> 사리불이여! 이 말을 들은 중생들은 마땅히 저 국토에 태어나고자 발원해야 하나니, 이 모든 훌륭한 사람들과 한 곳에 함께 할 수 있기 때문이다.
>
> 사리불이여! 적은 선근과 복덕의 인연으로는 저 국토에 태어날 수 없다. 사리불이여! 어떤 선남자 선여인이 아미타불에 대한 말씀을 듣고 그 이름을 잊지 않

고 지니되 하루나 이틀, 사흘, 나흘, 닷새, 엿새, 이레 동안 일심으로 흐트러지지 않으면 그 사람의 목숨이 다할 때 아미타불께서 모든 거룩한 대중과 함께 그 앞에 나타나신다. 이 사람은 목숨이 다하면 마음에 혼란 없이 곧바로 아미타불의 극락국토에 왕생한다.

사리불이여! 나는 이러한 이로움을 보기에 이렇게 설하나니, 이 말을 들은 중생은 마땅히 저 국토에 태어나기를 발원해야 한다.

- 아미타경

위 경전에서 알 수 있는 것처럼, 아미타 부처님을 교주로 하는 극락세계가 있고, 그곳은 보살처럼 훌륭한 사람들만이 살아가는 세상이니, 지극정성으로 염불을 해서 극락세계에 태어나고자 발원하는 것이 정토사상의 요점 중 하나입니다. 즉 아미타 부처님의 위신력에 의지하여 정토에 태어난다는 것입니다. 이렇게 극락세계에 태어나려는 염불 수행자는 그곳에서 성불하여 다시 이 세상에 돌아와 중생을 구제하게 됩니다. 이처럼 정토신행은 일반 대중들에게 큰 호응을 얻게 됩니다.

우리나라에서도 일찍부터 염불결사가 이루어졌습니다. 예를 들어서 통일신라 때의 건봉사 만일염불회는 27년5개월이나 계속되었고, 고려 때 백련사에서 출범한 백련결사는 8명의 국사(國師)가 배출될 만큼 성황을 이루었습니다. 그리고 지금도 한국불교에서 가장 광범위하게 행해지는 믿음과 염불과 발원인 신행원(信行願)이 바로 염불신행의 요체입니다.

② 관세음보살 염불

여러 보살 가운데 특히 관세음보살님은 중생을 고통으로부터 구해주는 대표적인 구원자입니다. 실제로 한국불교에서 가장 널리 행해지는 염불이 관세음보살 염불이라 할 수 있습니다. 앞서 소개한 정토염불과의 차이점은, 관세음보살 염불은 내생에 극락세계에 태어나기 위한 것이 아니라 지금 현생에서 겪는 각종 괴로움을 소멸시키는데 그 목적이 있다는 것입니다. 관세음보살 염불이 대중의 큰 호응을 받는 이유도 여기에 있습니다.

선남자여, 만일 한량없는 백천만억 중생이 모든 괴로움을 받을 때, 이 관세음

보살의 명호를 듣고 일심으로 부르면 관세음보살이 즉시 그 음성을 듣고 모두 해탈을 얻게 합니다.

- 법화경, 관세음보살보문품

③ 지장보살 염불

지장보살님은 '모든 중생이 성불할 때까지 성불하지 않겠다.'라는 서원으로 유명합니다. 지장보살님은 주로 지옥에 태어나는 악업 중생들을 구제할 뿐만 아니라 현세에서 각자의 원력을 성취시키는 구원자이기 때문에 돌아가신 영가를 위해서나 여행을 할 때, 아기를 낳을 때에 지장 기도를 많이 합니다. 정토염불과의 차이점은, 지장보살 염불은 천상에 태어나는 이익도 있지만 지옥의 중생을 극락세계에 왕생하게 하는 것이라는 점입니다.

만약 미래 세상에 선남자 선여인이 지장보살의 명호를 듣고서 찬탄하고, 우러러 경배하고, 명호를 부르고, 공양을 올리고, 형상을 그리거나 조각하고 도금하면, 이 사람은 마땅히 백 번을 거듭해서 삼십삼천에 태어날 것이며, 영원히 악도(惡道)에 떨어지지 않을 것입니다.

- 지장경

여러 문헌에 아미타 염불, 관세음보살 염불, 지장보살 염불을 열심히 수행하여 극락에 왕생하거나, 고통을 소멸시키거나, 소원을 성취하는 등의 이적(異蹟)들이 수없이 전해지고 있습니다. 여기서는 소개를 생략하니, 궁금하신 분들은 관련 서적을 살펴보시기 바랍니다.

이외에도 많은 염불 방법이 있습니다. 개인적인 소원 성취를 위해서는 '화엄성중(華嚴聖衆)', '산왕대신(山王大神)', '용왕대신(龍王大神)', '조왕대신(竈王大神)' 등 호법선신들을 부르기도 합니다. 유의해야 할 점은 각자 자신의 성향과 상황에 적합한 불보살과 신장들을 선택해서 염불 수행을 해야 한다는 것입니다.

여러분이 염불수행을 하는 이유는 무엇인가요? 염불수행은 불보살에 대한 '믿음'을 토대로 하고 있습니다. 자신이 불보살의 힘을 얼마나 믿고 계시는지 생각해 보셨는지요?

염불수행을 하는 이유를 아래의 공간에 적어보십시오. 그리고 다른 사람들의 계기는 무엇인지 나누어 보시기 바랍니다.

3) 자력과 타력의 조화

보통 불교수행은 일반적으로 자신의 힘으로 도업을 성취한다고 합니다. 그래서 이를 자력(自力)수행이라고 말합니다. 이에 반해 염불은 자신의 간절한 서원의 성취를 아미타 부처님을 비롯한 보살님의 원력에 의지하기 때문에 타력(他力) 수행으로 불립니다. 염불수행의 장점을 다음과 같은 비유로 설명할 수 있습니다.

무거운 악업 때문에 윤회의 바다에 빠질 수밖에 없는 중생을 아미타 부처님과 보살이 큰 배에 실어 바다를 건너게 해주시는 것과 같습니다. 또한 어린아이가 먼 도시까지 가야하는데 걸어서 간다면 도중에 쓰러지게 마련이지만, 자동차를 타고 간다면 아무리 먼 곳도 갈 수 있는 것과 같습니다. 또한 일꾼이 가난한 사람 집에 고용되어 일하면 임금을 적게 받을 수밖에 없지만, 왕이나 부잣집에 고용되면 임금을 충분히 받는 것과 같습니다. 또한 개미가 높은 산을 오를 때 자기 발걸음으로는 까마득한 시간이 걸리지만, 새의 몸에 올라타 날아가면 금방 정상에 도달하는 것과 같습니다.

이 사람이 목숨을 마치는 마지막 찰나에는 육신은 모두 다 무너져 흩어지고, 모든 친척 권속은 다 버리고 떠나게 되고, 일체의 권세도 잃어져 코끼리, 말, 수레와 보배 창고들이 하나도 따라오지 않지만, 오직 이 열 가지 서원은 서로 떠나지 않고, 어느 때나 앞길을 인도하여 한 찰나 동안에 곧바로 극락세계에 왕생함을 얻을 것입니다.

극락에 가서는 곧 아미타불과 문수보살, 보현보살, 관자재보살, 미륵보살들을 친견할 것이며, 이 모든 보살들은 모습이 단정하고, 공덕이 구족하여 다 함께 아미타불을 둘러앉아 있을 것입니다.

그 사람은 제 몸이 절로 연꽃 위에 태어나서 부처님의 수기 받음을 스스로 볼 것입니다. 수기를 받고서 무수한 백천만억 나유타 겁을 지나면서 널리 시방의 이루 다 말할 수 없는 세계에 지혜의 힘으로써 중생들의 마음을 따라 이롭게 할 것입니다.

그리고 오래지 않아서 마땅히 보리도량에 앉아 마군을 항복 받고 정각을 이룰 것입니다. 다시 미묘한 법륜을 굴리어, 능히 세계의 아주 작은 먼지 수 세계의 중생들로 하여금 보리심을 내게 하고, 그들의 근기에 따라 교화하여 성숙시키며, 나아가 오는 세월이 다하도록 일체 중생을 널리 이롭게 할 것입니다.

- 화엄경, 보현보살행원품

그런데 타력이라고 해서 계율을 어기는 비윤리적 삶을 살거나, 수행을 하지 않고 나태한 생활을 하는데도 그 목적을 달성할 수 있는 것이 아닙니다. 왜냐하면 『아미타경』에 염불이 "일심으로 흐트러지지 않으면[一心不亂]"이라는 단서를 달고 있기 때문입니다. 이것은 염불삼매를 상징하고 있습니다. 삼매에 들 정도로 열심히 염불을 해야만 극락세계에 갈 수 있다는 것입니다. 따라서 타력 수행과 자력 수행이라는 이분법적 사고로 서로의 우열을 가리기보다는 타력 안에 자력의 개념을 포함하고 있다고 이해하는 것이 좋습니다.

왜냐하면 이 세상을 살아가자면 타력이 없이는 존재할 수 없기 때문입니다. 말하자면 나의 존재를 제외한 모든 것은 엄격하게 말하면 타력입니다. 우리가 호흡하는 공기나 걸어다는 지구, 따뜻한 태양열, 우리 몸의 70% 이상의 물, 우리가 매일 먹고 입고 잠자는 도구들이 모두 공업의 타력입니다. 따라서 우리 각자의 자력은 우주분에 1에 불과합니다. 그러나 자력이 없는 타력은 무용지물입니다. 따라서 염불은 우주로 소통하는 생명의 실상을 자기화하는 것입니다.

여러분은 올바른 염불수행법에 대해 고민해 본 적이 있으신가요?

염불삼매에 들려면 어떻게 해야 할지 자신의 의견을 아래의 공간에 의견을 적어보십시오. 그리고 다른 사람들의 계기는 무엇인지 나누어 보시기 바랍니다.

3. 염불 수행방법에 따른 분류

1) 칭명염불

칭명염불이란 불보살의 명호를 입으로 부르고 마음으로 불보살님의 공능을 기억하여 생각하는 것으로 입과 마음이 상응하는 가장 대중적인 염불방법입니다. 명호를 큰 소리로 부르는 것을 고성염불, 중간 정도의 소리로 부르는 것을 저성염불, 입술만 움직이고 소리는 아주 작거나 나지 않게 부르는 것을 금강염불이라 합니다. 여기서 중요한 점은 어떤 방식을 사용하느냐가 아니라, 명호를 또박또박 마음에 새기면서 염불해야 한다는 것입니다.

- **불보살의 명호를 또박또박 입으로 불러야 함**
- **불보살의 명호를 또박또박 마음으로 생각해야 함**
- **불보살의 명호를 부르는 소리가 또박또박 귀에 들려야 함**

이렇게 염불하면 저절로 몸(身), 말(口), 마음(意)의 삼업(三業)이 깨끗하게 됩니다. 그리고 생각 생각에 염불이 이어지게 되면 나중에는 염불하려는 마음을 일으키지 않아도 저절로 마음속으로 염불이 되면서, 결국에는 염불삼매에 들게 되는 것입니다.

> 어떤 사문이나 재가자가 서방 아미타 부처님의 정토에 대한 이야기를 들으면, 마땅히 그곳의 부처님을 생각하고 계율을 어기지 말아야 합니다. 일심으로 생각하기를 하루 밤낮이나 혹은 7일 밤낮을 하면, 7일이 지난 뒤 아미타 부처님을 친견하게 됩니다. 깨어 있을 때 보지 못하면 꿈속에서라도 친견하게 됩니다.
>
> \- 반주삼매경

또한 큰 소리를 내어 염불을 하면 다음과 같은 아홉 가지 이익이 있다고 합니다.

❶ 잠이 오는 것을 쫓는다.
❷ 마귀가 두려워한다.
❸ 지옥, 아귀, 축생의 고통이 멈춘다.
❹ 염불 외에 잡음이 들려오지 않는다.
❺ 염불하는 마음이 산란하지 않는다.
❻ 용맹정진이 된다.
❼ 모든 부처님이 기뻐하신다.
❽ 모든 삶에 삼매가 현전한다.
❾ 서방정토에 왕생하게 된다.

그러나 고성염불에 위와 같은 이익이 있다고 하더라도, 주변 상황이나 자신의 목 상태를 고려해서 저성염불이나 금강염불을 섞어서 하는 것이 좋습니다.

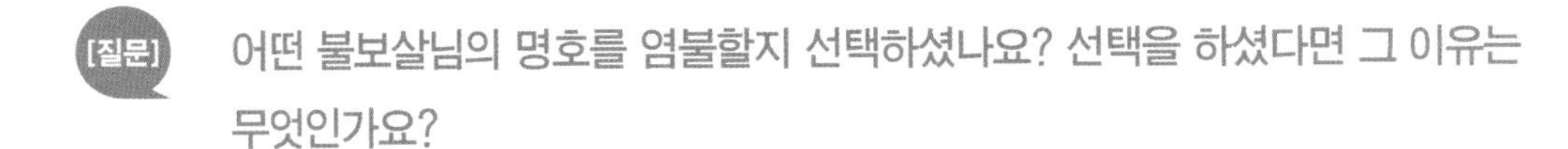

[질문] 어떤 불보살님의 명호를 염불할지 선택하셨나요? 선택을 하셨다면 그 이유는 무엇인가요?

[토의] 칭명염불을 해보시고 그 느낌을 아래의 공간에 적어보십시오. 그리고 다른 사람들의 느낌은 어떤지 나누어 보시기 바랍니다.

※ 양식 1. 일일점검표(예시)

일일 점검표							
일자	아침 30분	오전 10분	점심 30분	오후 10분	저녁 1시간	꿈	돌아보기
1/1	○	○	○	○	○	×	다섯 번 염불시간을 준수함
1/2	○	○	○	○	○	×	어제와 같음
1/3	×	○	×	○	○	×	3일째가 되니까 마음이 느슨해져서 염불을 빼먹음
1/4	○	○	○	○	○	○	마음을 다잡고 열심히 하자, 꿈속에서도 염불을 하였음
…	…	…	…	…	…	…	…

※ 양식 2. 일일점검표(예시)

일일 점검표					
일자	아침 108배	점심 1,000번	저녁 1,000번	경전 1독	돌아보기
1/1	○	○	○	○	아미타 염불을 1,000번 하고, 경전은 〈아미타경〉을 읽었음
1/2	×	○	○	○	관세음보살 염불을 1,000번 하고, 경전은 〈고왕경〉을 읽었음
1/3	○	○	×	○	지장보살 염불을 1,000번 하고, 경전은 〈지장경〉을 읽었음
1/4	○	×	○	○	아미타 염불을 1,000번 하고, 경전은 〈관무량수경〉을 읽었음
…	…	…	…	…	…

2) 관상염불

관상염불에는 두 가지가 있습니다. 하나는 '불보살의 형상을 생각하는 것(觀像)'이며, 다른 하나는 '극락세계의 모습을 생각하는 것(觀想)'입니다. 이 두 방법은 어떠한 대상의 이미지를 생각한다는 것에서 공통점을 가지고 있습니다. 실천하는 불자들의 입장에서는 두 가지 가운데 앞의 방식이 더 쉽습니다.

왜냐하면 불보살의 형상은 원만하고 신심이 일어나게 하는 불상, 탱화 등에서 이미지를 가져올 수 있지만, 극락세계는 그보다 더 구체적이기 때문입니다. 수행은 구체성을 띠는 것에서 출발해야만 중도포기하지 않게 됩니다. 『관무량수경』에는 네 가지 관상법(觀像法)이

전하고 있습니다. 그 가운데 가장 대표적인 것을 소개하겠습니다.

부처님을 상상하십시오. 왜냐하면 모든 부처님 여래는 바로 법계의 몸이므로 일체 중생의 마음속에 들어 있기 때문입니다. 그러므로 여러분이 마음으로 부처님을 상상할 때 그 마음이 곧 32상 80종호입니다. 그래서 마음이 부처가 되므로, 그 마음이 바로 부처입니다. 모든 부처님의 지혜 바다는 마음에서 생기는 것입니다.

마땅히 한마음으로 생각을 집중하여 저 부처님 · 여래 · 응공 · 정변지를 관찰해야 합니다. 저 부처님을 상상하는 사람은 마땅히 먼저 형상을 상상하십시오. 눈을 감거나 눈을 뜨거나 염부단 금색과 같이 찬란한 하나의 보배 불상이 저 꽃 위에 앉아 계시는 모습을 관찰하십시오.

이와 같이 부처님의 형상을 보고 나면, 마음의 눈이 열리게 될 것이니, 똑똑하고 분명하게 극락국토의 7보로 장엄한 보배 땅과 보배 연못과 늘어선 보배 나무들과 그 나무 위를 가득 덮은 모든 천상의 휘장들과 허공에 가득한 수많은 보배 그물들을 보게 될 것입니다. 이와 같이 그 모습을 보되, 마치 손바닥을 보듯이 뚜렷하고 명료하게 볼 것입니다.

- 관무량수경

[질문] 어떤 불보살님의 상호를 염불할 지 선택하셨나요? 그 불보살님을 선택하신 이유는 무엇인가요?

[토의] 관상(觀像)염불을 해보시고 그 느낌을 아래의 공간에 적어보십시오. 그리고 다른 사람들의 느낌은 어떤지 나누어 보시기 바랍니다.

3) 실상염불

실상염불은 마음으로 부처님의 성품인 공(空), 무한한 생명과 빛을 떠올리는 방법입니다. 실상염불부터는 염불선의 경지입니다. 그렇기 때문에 일반적으로 실행하기에는 다소 어려움이 있는 방법입니다.

> 색신에 집착하지도 않고, 법신에 집착하지도 않아 능히 일체법을 알아서 영원히 고요함을 허공과 같이 해야 합니다. 이 보살은 상세력(上勢力)을 얻어 색신불이나 법신불에도 탐착하지 않습니다. 왜냐하면 공(空)의 법을 믿고 바라기 때문에 모든 법이 허공과 같은 줄 알기 때문입니다. 허공이라는 것은 장애가 없기 때문입니다.
>
> \- 십주비바사론, 조염불삼매품

실상염불을 가장 쉽게 할 수 있는 방식은 입으로 '나무아미타불'을 부르면서, 마음으로는 아미타 부처님의 무한한 빛과 수명을 생각하는 것입니다. 마음으로 내가 본래 부처이고, 우주가 모두 부처님이라고 생각하는 것입니다. 그렇게 해서 부처님의 명호를 부르는 입과 그 부처님을 생각하는 마음이 상응한 염불삼매로 들어갑니다. 그래서 염불하는 자신을 포함해서 모든 존재가 있는 그대로 생명의 실상인 진여불성임을 체득합니다.

[질문] 염불 수행법 가운데 가장 어렵다고 하는 실상염불을 하시려는 이유는 무엇인가요?

[토의] 실상염불을 해보시고 그 느낌을 아래의 공간에 적어보십시오. 그리고 다른 사람들의 느낌은 어떤지 나누어 보시기 바랍니다.

4. 염불 가피의 사례들

『염불집』에 나오는 염불 공덕의 내용은 다음과 같습니다.

○ 현생의 이익

1. 무거운 죄와 장애를 소멸하는 이익
2. 광명으로 섭수해주시는 이익
3. 대사들이 잊지 않고 보살펴주시는 이익
4. 보살들이 은밀히 가피를 주시는 이익
5. 모든 부처님이 보호해주시는 이익
6. 팔부신장이 지켜주시는 이익
7. 공덕의 보배가 모여드는 이익
8. 법문을 많이 듣고 지혜를 얻는 이익
9. 보리심에서 물러나지 않는 이익
10. 부처님을 받들어 친견하는 이익

○ 내생의 이익

11. 아미타 부처님이 오셔서 극락세계로 맞이해 가시는 이익
12. 자비의 광명이 항상 비치는 이익
13. 거룩한 도반들이 함께 찬탄하는 이익
14. 거룩한 도반들이 함께 맞이해주는 이익
15. 신통으로 공중을 날아다니는 이익
16. 피부색이 아름다워지는 이익
17. 수명이 아득히 길어지는 이익
18. 좋은 곳에 태어나는 이익
19. 눈앞에서 거룩한 대중들을 만나는 이익
20. 항상 묘한 법문을 듣게 되는 이익
21. 무생법인(無生法忍)을 증득하는 이익
22. 타방에서도 부처님을 섬기고 수기를 받는 이익
23. 다시 본국으로 돌아와 다라니를 얻는 이익

이것은 전통적인 입장에서의 염불 가피(加被)일 것입니다. 이것을 현대적인 언어로 풀어 보면 ① 무량한 공덕, ② 호법선신의 보호, ③ 불보살의 은밀한 보호, ④ 죄업의 소멸, ⑤ 의식이 풍족해짐, ⑥ 외모가 아름다워짐, ⑦ 극락세계에 왕생, ⑧ 지혜가 생겨남이라 할 수 있습니다. 이러한 종류의 가피는 많은 염불 수행자들이 경험하는 것이기도 합니다. 또한 염불 집중수행을 하게 되면 저절로 육식이 꺼려지는 것도 염불 수행자들이 겪는 현상입니다. 불보살님과 호법신장님들의 가피는 먼저 우리 삶의 현장에서 다급한 일을 당한 사람이 기도를 할 때에 느껴지는 은혜로움인 현증가피(顯證加被), 간절한 소망이 꿈을 통하여 소원이 성취될 것이라고 예시를 받는 몽중가피(夢中加被), 현실에서 곧바로 자기도 모르게 가피를 입어 소원이 성취되는 명훈가피(冥勳加被)입니다.

일정 기간 동안 염불을 한 다음, 그렇게 해서 얻은 결실에 대해 각자가 경험한 일들을 아래의 공간에 솔직하게 기록해 주십시오. 그리고 이 내용으로 다른 분들과 경험담을 나누어 보시기 바랍니다. 일상생활에서 얻는 정신적인 행복, 만족감, 편안함, 인간관계의 변화 등에 초점을 맞추어 보시기 바랍니다. 이처럼 염불수행은 신구의(身口意)을 정화시켜 행복한 생명의 실상을 현실에서 실현하여 부처님이 되어가는 수행방법입니다.

사람은 살아가면서 갖가지 고난을 받습니다. 그러나 그 고난을 벗어나는 길은 한 생각에서 비롯됩니다. 누구든 한 생각이 바뀌면 지옥이 극락이고, 중생이 본래 부처일 것입니다. 오로지 부처님에 깨어 있는 한 생각이 바로 부처님의 세계에 참여하는 것이 염불신행입니다.

IV. 참선 수행

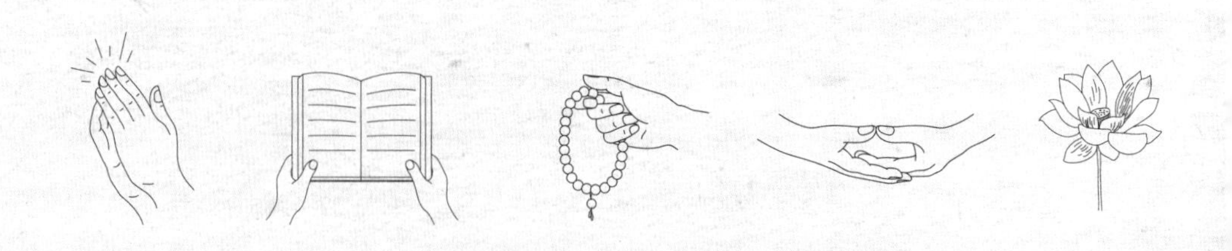

1. 간화선 수행법

1) 들어가는 말

"선은 이론이 아니라 체험이다"라고 하듯 체험은 마음으로 귀결됩니다. 부처님의 마음은 선(禪)이요, 부처님의 말씀은 교(敎)라 하였습니다. "교는 말의 길이 있고 생각의 자취가 있지만, 선은 말의 길이 끊기고 생각의 자취가 멸했다"라고 하였습니다. 그러나 부처님의 마음을 좇아서 부처님의 말씀이 존재하듯이 뿌리 없는 나무는 없고, 나무 없는 뿌리도 없습니다.

불교에 입문하여 참선공부를 하는 초심자들은 먼저 불교란 무엇인지, 나는 누구인지, 선이란 무엇이고, 참선은 왜해야 하는지 등을 알려주어 공부의 기틀을 잡을 수 있게 해야 합니다. 바른 안목에 의하여 바른 믿음이 세워지고 바른 믿음에 의하여 바른 깨달음(체험)을 얻게 됩니다.

선은 이론이 아니라 체험이기 때문에 체험을 하려면 바른 안목을 세워 완전한 믿음에 들어가야 합니다. 완전한 믿음이 서면 발심이 되고, 발심이 되면 반드시 체험(=견성체험)을 하게 되어 있습니다. 체험을 해야 여래가문(如來家門, 진리의 세계)에 태어나 본래 부처임을 확인하고 부처로서 작용하는 것이 무위법행(無爲法行)으로 닦음 없는 닦음과 얻을 바 없는 얻음을 얻게 되어, 시작과 끝이 원만하고 원인과 결과가 한 집안 소식이 될 것입니다.

깨달아 증득한다는 것은 '바른 믿음'과 '바른 앎'과 '바른 실천'이 치우치지 않고 균형을 맞추면 - 이 셋이 하나가 되면 하나가 곧 셋이 된다 - 이것을 증득이라 할 수 있습니다. 그러므로 첫 구절부터 구경의 이치가 갖추어져 있어야 선수행이 원만해 질 수 있습니다.

[질문] 간화선이 무엇인지 알고 계셨나요? 아니면 처음 들어보시는지요?

[토의] 자신이 생각한 간화선의 요점을 아래의 공간에 적어보시기 바랍니다. 그리고 앞으로 내용을 읽어보시고, 자신이 가졌던 원래 관점과의 유사점과 차이점을 비교해 보시기 바랍니다.

2) 참다운 바른 견해(眞正見解)

지금 불법(佛法)을 배우는 사람은 참다운 바른 견해를 구하지 않으면 안 된다. 만일 참다운 바른 견해를 얻게 되면 생사(生死)에 물들지 않고, 가고 머묾에 자유로워 수승함을 구하고자 하지 않아도 스스로 수승함에 이른다.

- 임제록

"지금 불법을 배우는 사람"이라는 문장에서 불법의 근본적인 가치로써 드러낸 말은 열반과 해탈입니다. 열반(=완전한 상태)과 해탈(=완전한 자유)은 일체 모든 존재(六道九類)가 공통으로 바라는 가치의 총합입니다. 그러므로 "불법을 배우는 사람"이라는 말은 불교라는 국한된 종교로써의 지칭된 말이 아니고, 일체 모든 존재들이 바라는 가치인 완전한 행복, 완전한 관계, 완전한 자유, 완전한 사랑 등이 이루어져 얻어진 것입니다. 이것이 영원한 생명과 영원한 광명으로 지칭된 완전한 자기(참나)라고 할 수 있는 것입니다.

이 완전한 나(참나)는 참다운 바른 견해를 얻어서 이것을 쓰는 사람이라고 할 수 있습니다. 그러려면 내가 누구인지 알아야 할 것입니다.

나는 누구인가? 이 질문은 모든 철학적인 명제 중에서 가장 근원적인 질문입니다. 불교의 모든 가르침도 '나는 누구인가? 어디로부터 와서 어디로 가는가?'하는 문제 하나를 깨우치는데 집중되어 있습니다. 곧 생사의 문제입니다. 갖추어 말하면 생로병사(生老病死)입니다. 이 생로병사의 문제를 해결하기 위하여 참선을 하고 간경을 하고 염불하며 가지가지 수행을 하는 것입니다.

내가 누구인지 알게 되면, 내가 이 세상에 왜 나왔는지 지금은 무엇하러 이렇게 걷고 있는지, 무엇이 잘 사는 건지 알게 됩니다. 그러면 갈등이 없어지고 마음이 쉬어져서 지금 하는 모든 일과 다가오는 모든 경계가 헛(虛)되지 않고 실(實)답게 됩니다. 그래서 겉모습으로 부귀영화를 다 누리고 천수를 누렸다 한들 내가 누구인지 알지 못하고 살았다면, 이것은 다 헛된 허망한 삶이라고 할 수 있습니다. 반면에 병고에 시달리고 가난에 시달린다 하더라도 내가 누구인지 알고 산다면, 이 삶은 걸음걸음이 실답고 헛되지 않다 할 수 있는 것입니다.

"천상천하 유아독존, 하늘 위나 하늘 아래나 오직 나 홀로 존귀하다." 여기에서 "나"는 이 몸과 마음으로 국한되어 있는 유일한 존재로써 내가 아니라 영원한 진리로서 나툰 참나인 곧 나의 본래면목(本來面目)입니다. 그러면 영원한 진리로서 나는, 참나 자성은 무엇일까요?

규봉 스님께서 말씀하시길, "마음이란 텅 비어 순수하게 빛나고 신령스럽게 밝아 가고 옴이 없는지라. 가만히 과거 미래 현재에 통하고, 안도 아니요 밖도 아니면서 시방에 두루 사무친다. 불생불멸(不生不滅)하니 어떻게 생로병사가 해칠 수 있겠는가?"라고 하였습니다.

여기에서 참나의 본체는 마음이란 텅 비어 순수하다 하였고, 참나의 모습은 밝고 밝게 빛난다 하였으며, 참나의 작용은 신령스럽게 비춘다 하였습니다. 이 말씀으로써 참나를 온통 드러내어 보인 것입니다. 부처님께서 일체중생에게 베풀어주신 은혜 가운데 가장 큰 은혜는 "천상천하 유아독존"이라고 해주신 은혜, 즉 내가 누구인지 가르쳐주신 은혜입니다. 그 때 비로소 우리는 지혜의 생명을 얻을 수 있게 되었습니다.

내가 누구인지 알게 되면 자기 스스로에 대한 믿음이 생기고 자존감이 높아집니다. 높아진 자존감만큼 눈을 멀리 두게 되어 더 멀리 보게 되고, 멀리 보는 까닭에 지혜가 더욱 높아집니다. 그래서 갈등은 사라지고 고요히 텅 빈 자기의 본래면목에 계합되는 것입니다. 그러면 내가 누구인지, 이 세상에 무엇하러 나왔는지 알게 됩니다. 본래 자기(진리)를 체험하고 본래자기에 계합하기 위해 왔다는 것을 알게 되는 것입니다.

그러므로 밖으로 향하던 모든 문제인식은 곧 자기 내면의 근본문제[생사]에 이르게 됩니다. 그렇다고 안과 밖이 따로 존재한다고 한다면 이것 또한 바른 안목은 아닙니다. 밖으로 향하는 마음 때문에 안을 이야기 하는 것이지, 밖으로 치우지지 않기만 하면 안이 어떻게 존재하겠습니까?

이와 같이 "참다운 바른 견해를 얻게 되면 생사에 물들지 않고 가고 머묾에 자유로워 수승함을 구하고자 하지 않아도 스스로 수승함에 이른다." 수승함(완전한 깨달음)을 구하고자 하지 않아도 스스로 본래 완전한 부처임을 알게 되는 것입니다. 그러나 본래 완전함과 부족함이란 공(空)해서 실체하지 않는 까닭에 일체법이 본래 불법(진리)이라 말하는 것입니다.

[질문] 명상주제로 어떤 화두를 가지고 계신가요? 아직 명상주제로 선택한 화두는 없지만, 개인적으로 관심이 가는 화두가 있으신지요?

[토의] 자신의 화두가 있다면 그 화두의 요지를 아래의 공간에 적어보시기 바랍니다. 그리고 어떤 계기로 화두를 받았는지, 그 사연을 다른 분들과 나누어 보시기 바랍니다. 만약 개인적으로 관심이 가는 화두가 있다면, 왜 그 화두에 관심이 가는지 이유를 적고, 다른 분들과 이야기를 나누어 보시기 바랍니다.

3) 바른 믿음

> 오늘날 도(道) 배우는 사람의 병이 어디에 있느냐? 병은 스스로를 믿지 않는 데에 있다. 그대가 만일 스스로 믿음이 철저하지 못하면 바로 허둥지둥 일체경계를 좇아다니며 온갖 경계에 이끌리고 휘둘려 자유롭지 못하게 된다. 만일 그대가 생각 생각에 밖으로 구하는 마음을 쉬면 바로 조사인 부처와 다르지 않다. 그대가 조사인 부처를 알고자 하는가. 그것은 다만 나의 면전에서 법문을 듣는 그대자신이다. 너희가 조사인 부처와 다르지 않고 싶거든 오직 밖으로 구하지 말라. 믿음이 약한 자는 영원히 깨달을 기약이 없다.
>
> \- 임제록

『화엄경』에 "믿음은 도의 근원이요 공덕의 어머니라 모든 선근을 자라게 한다"라고 하였고, 유식(唯識)에 "믿음은 물을 맑히는 구슬과 같나니 흐린 물을 맑히기 때문이다"라고 하였습니다. 이것으로써 온갖 선(善)을 발생하는 데에는 믿음이 길잡이가 된다는 것을 알 수 있습니다. 조사의 바른 믿음은 모든 유위(有爲)의 인과를 믿지 않고 오직 자기가 본래부처라는 것만 믿게 하니, 천진한 자기 성품이 사람마다 갖추어져 있고 열반의 묘한 본체가 날날이 원만히 이루어졌으므로 다른 데서(남에게) 구하지 않고 원래 저절로 갖추어졌음을 믿는 것입니다.

> 종경(宗鏡, 참마음)에 어떻게 믿어 들어가는가?
> 한마음은 부동하여 모든 법에 머물지 않는다.
> 주관과 객관이 없음으로 증득하여
> 지혜와 앎이 사라진 마음이 되면
> 이것이 곧 믿음 없는 믿음이고
> 들어감이 없는 들어감이라 한다.
>
> \- 종경록

마음공부의 시작은 믿음으로부터 시작됩니다. 맹목적인 삿된 믿음이 아니고 바른 믿음이라 이름 하는 것은, 들어가는 말에서도 거론했듯이 바른 믿음과 바른 앎과 바른 실천이 치우치지 않고 균형을 이룰 때 모든 것이 바르게 깨달아 들어가는 것입니다.

그래서 성인의 법문을 자주 자주 들어야 합니다. 성인은 진리를 깨달은 분이시니 시공을 초월해 있고, 법문과 성인이 다르지 않는 까닭에 법문 속에 지금 온통 계심을 믿어야 합니다. 그러면 그 법문을 통하여 자기 마음가운데 있는 성인과 만나 스스로 체험하게 되는 것입니다.

4) 조사선과 간화선

어떤 스님이 조주스님에게 물었다.
"달마가 서쪽에서 온 까닭이 무엇입니까?"
조주스님이 말했다.
"뜰앞의 잣나무다."
어떤 스님이 운문스님에게 물었다.
"무엇이 부처입니까?"
운문스님이 대답했다.
"마른 똥막대기다."

- 전등록

조사선은 본래부처의 정신을 그대로 이어받아 단박에 깨치는 돈오선입니다. 조사선에서는 깨달은 선지식이 제자들과 일상 속에서 주고받는 말과 행과 뜻이 그대로 선문답으로 제시되어 그 자리에서 단박에 깨치기도 하고 참구하여 깨치기도 하였으나, 간화선에서는 선문답을 화두로 정형화 시켰다는 점에서 차이가 있습니다. 간화선은 옛 조사스님들의 말씀을 간절히 의심해 들어가 말길이 끊어지고 생각의 길이 끊어진 그 자리에서 화두를 타파하여 확철대오(確徹大悟)하는 수행입니다.

그러나 먼저 전제되어야 할 것은 시간과 공간 속에서 구체적으로 역사 속에 존재하였던 선지식에 대한 믿음이 분명해야 한다는 것입니다. 진리를 깨달은 선지식은 시공을 초월해 있기 때문에 시공 속에 항상 존재하게 되는 것입니다. 그러므로 선지식은 스스로 제시한 화두공안 속에 지금 온통 드러나 있는 것이니, 이 화두공안을 통하여 자기마음 가운데 있는 선지식을 친견하고 스스로 견성체험하게 되는 것입니다.

따라서 화두는 본분자리를 깨달은 선지식의 마음으로부터 나온 말씀이기에 본분자리의 나툼입니다. 그러나 그 깨달은 선지식의 마음은 자기마음을 떠나서 따로 있지 않는 까닭에 자기마음에 물어서 답을 구해야 합니다.

※ 사례. 혜능 선사 이야기

도명 스님은 홍인 선사의 제자로 본래 법명은 혜명이었다. 혜능 선사가 스승 홍인 선사로부터 법을 전해 받은 뒤 몸을 숨기고자 서둘러 남쪽으로 떠나자, 이 사실을 안 혜명은 다른 무리와 함께 혜능 선사의 뒤를 좇아왔다. 혜명은 대유령이라는 산마루에서 혜능 선사를 만나 홍인 선사가 전법의 표시로 준 가사와 발우를 빼앗으려 했다. 혜능 선사는 가사와 발우를 바위 위에 놓고 말했다.

"이 가사는 법을 전한 징표인데 어찌 힘으로 빼앗을 수 있겠는가? 그대 뜻대로 하시오."

혜명은 가사를 집어들려고 했으나 움직이지 않자 이렇게 말했다.

"나는 법을 구하러 온 것이지 가사나 발우를 얻으려고 온 것이 아닙니다. 행자께서는 가르쳐 주십시오."

"선도 생각하지 말고 악도 생각하지 마시오. 바로 그때 어떤 것이 그대의 본래면목이오?"

혜명은 이 말을 듣고 그 자리에서 크게 깨닫고 혜능 선사의 제자가 되어 법명을 도명으로 바꾸었다.

- 조당집

화두 의심이 잘 일어나고 계신가요? 아니면 단순히 화두에 집중만 하고 계신가요? 그것도 아니면 좀처럼 수행의 진척이 없으신가요?

화두에 대한 참구가 어떻게 진행되는지 자신의 경험을 아래의 공간에 적어보시기 바랍니다. 그리고 그 사연을 다른 분들과 나누어 보시기 바랍니다.

5) 수행의 단계 없는 단계

수행의 단계 없는 단계라고 말하는 것은 사람의 근기가 천차만별인 까닭에 수행의 단계가 있게 되고, 본래 부처인 까닭에 단계가 없게 되는 것입니다.

① 마음을 없애고 경계를 두는 것이다.

奪人不奪境(사람을 빼앗고 경계를 빼앗지 않는다)

공부할 때 일체 망념을 다 쉬어 바깥 경계를 돌아보지 않고 다만 스스로 마음을 쉬는 것입니다. 망념만 쉬면 경계가 있다고 무엇이 방해 되겠습니까. 그러므로 어떤 사람이 말하기를 "여기 꽃다운 풀은 가득한데 성안에 옛사람이 없다." 라고 하였습니다. 또 방 거사가 말하기를 "다만 스스로 만물에 무심하면 만물이 항상 나를 둘러싸고 있다 하더라도 무엇이 방해가 되리요."라 하였으니 이것이 곧 마음을 없애고 대상을 두어 망심을 쉬는 공부입니다.

\- 진심직설

임제스님 :"따스한 봄날에 만물이 소생하니 대지는 비단을 깔아 놓은 듯하고, 어린아이의 늘어뜨린 머리카락은 하연 명주실과 같구나."

초발심수행자는 "공부할 때 일체 망념을 다 쉬어 바깥경계를 돌아보지 않고 다만 스스로 마음을 쉬는 것이다"라고 했듯이, "나"라는 것을 놓아야 합니다. "나"를 놓고 무심이 되면 방 거사께서 말하듯이 "다만 스스로 만물에 무심하면 만물이 항상 나를 둘러싸고 있다 하더라도 무엇이 방해가 되리요"라고 했습니다.

이와 같이 한 생각에 바른 신심을 내어 발심이 되면 마치 따스한 봄날에 만물이 소생하듯 자기 마음가운데 있는 중생들이 스스로 깨어나게 되는 것입니다. 이것이 생사 없는 참나를 아는 것입니다. 곧 믿는 것입니다.[知無生死]

② 경계를 없애고 마음을 두는 것이다.

奪境不奪人(경계를 빼앗고 사람을 빼앗지 않는다)

공부할 때에 안팎의 모든 경계를 다 비워 고요하다고 관찰하고, 오직 한마음만을 남겨서 외로이 우뚝 세워 그대로 두는 것입니다. 그래서 방거사가 말하기를 "모든 법과 짝하지 않고 모든 대상과 상대하지 않는다."라고 하였습니다. 만일 그 마음이 대상에 집착하면 그것은 망심이나 지금에 이미 대상이 없어졌는데 무슨 망심이 있겠습니까. 참마음이 홀로 비추어 도에 걸리지 않는 것입니다.

그러므로 설두 스님이 말하기를 "동산에 꽃은 이미 떨어졌는데 수레와 말들은 오히려 붐비는구나."라고 하였습니다. 또 "삼천검객은 지금 어디에 있는가? 홀로 장주가 태평을 이룩했네."라고도 한 것입니다.

\- 진심직설

임제스님 :"왕의 법령이 천하에 두루 행해지면 변방의 장수는 전쟁을 종식시킨다."

'나'를 놓아 생사 없는 참나를 알았다 하더라도 다가오는 일체경계를 낱낱이 항복해 체험하려면 오직 한마음만을 남겨서 외로이 우뚝 세워 두어야 합니다.[体無生死]

③ 마음과 대상을 모두 없애는 것이다.
人境兩俱奪(사람과 경계를 다 빼앗는 것이다)

공부할 때 먼저 바깥 경계를 공적하게 하고, 다음에 안의 마음을 없애는 것입니다.(亡智解之心) 이미 안팎으로 마음과 경계가 모두 고요해졌는데 망심이 무엇을 좇아서 일어나겠습니까? 관계 스님이 말하기를 "방에 벽이 없고, 사방에 문이 없어 발가벗은 듯 맑디맑다."라고 하였습니다. 또 "사람과 소를 모두 볼 수 없으니 달 밝은 때라."고도 하였습니다.

\- 진심직설

임제스님 :"병주(幷州)와 분주(汾州)는 소식이 끊어지고 각기 한 지방에서 독립하였네."

체험해 알았다는 마음도 또한 허물이니, 지혜와 앎도 없애버리는 공부입니다. 놓았다는 생각 자체도 놓아버려야 이름하여 확철대오(廓撤大悟)했다 합니다.[契無生死]

④ 마음도 두고 대상도 두는 것이다.

人境俱不奪(사람과 경계를 모두 빼앗지 않는다)

공부할 때 마음이 마음의 지위에 머무르고 대상이 대상의 자리에 머물러서 때로는 마음과 대상이 마주쳐도 마음이 경계를 취하지 않으며, 경계가 마음을 따르지 않아 제각기 서로 어울리지 않으면 자연히 망념이 생기지 않고 도에 장애가 되지 않습니다.

법화경에 "이 법이 법의 자리에 머물러 세간의 모습이 항상 머문다."라고 하였습니다. 그러므로 어떤 이가 "한조각 달이 바다위에 떠오르니 몇 사람이나 누대에 오르는가?"라고 하였습니다.

\- 진심직설

임제스님 : "왕이 보배궁전에 오르고 들녘의 늙은 농부는 태평가를 부른다."

마음과 경계[대상]가 각자의 자리에 머물러 서로 마주쳐도 서로 취하지 않으니, "제각기 서로 어울리지 않으면 자연히 망념이 생기지 않고 도에 장애가 되지 않는다." 하였습니다. 그러므로 생사 없는 작용에 즉하여 보살만행을 하는 대보살마하살의 경지입니다.[用無生死]

※ 양식. 일일점검표(예시)

◀ 일일 수행 점검표 작성요령 ▶

1. 수행기간동안 수행점검표를 빠지지 않고 작성합니다.
2. 1~10번까지 마음을 비추어 잘 하였으면 잘함, 보통, 못함으로 체크를 합니다.
3. 80점 이상이면 모범적인 간화선 수행을 하고 있는 분입니다.
4. 50~79점이면 분발하여 좀 더 노력하는 수행자가 되어야 합니다.
5. 1~49점이면 초발심으로 돌아가 참회하고 더욱 정진해야 합니다.

일일 수행 점검표

년 월 일

항 목	잘함 (10점)	보통 (6점)	못함 (3점)
1. 내 자신이 본래 부처임을 잊지 않았는가?			
2. 경계에 닥쳤을 때 어디로부터 오는지 생각했는가?			
3. 하루 30분 이상 좌선을 했는가?			
4. 역경계를 당하여 화를 내지 않았는가?			
5. 순경계에 마음이 들뜨거나 끌리지 않았는가?			
6. 지극한 정성으로 공양을 올렸는가?			
7. 자성에 늘 감사하고 즐거운 마음으로 지냈는가?			
8. 도반들에게 하심하고 공경하였는가?			
9. 남을 비방하거나 탓을 하지 않았는가?			
10. 법문을 듣고 일상에서 한 가지라도 실천을 하고 있는가?			
총 점			

일일 수행 점검표

년 월 일 　 년 월 일 　 년 월 일

항 목	잘함	보통	못함	잘함	보통	못함	잘함	보통	못함
1									
2									
3									
4									
5									
6									
7									
8									
9									
10									
총 점									

2. 사념처 수행법

1) 불교 명상의 목적

부처님의 말씀을 읽겠습니다.

> 두 가지 힘이 있습니다. 어떤 것이 둘인가요? 사유의 힘과 수행의 힘입니다.
>
> 어떤 것을 사유의 힘이라고 하는가요?
>
> 성스러운 제자가 한적하고 고요한 숲 속이나 나무 밑에서 이렇게 사색하는 것을 말합니다. "몸으로 악행을 하면 현세와 후세에 나쁜 과보를 받는다. 내가 만일 몸으로 나쁜 짓을 행한다면, 마땅히 내 자신도 뉘우치고, 남도 나를 뉘우치게 할 것이며, 내 스승도 나를 뉘우치게 할 것이고, 대덕이시고 청정한 분들도 나를 뉘우치게 할 것이다. 그리고 법으로써 나를 꾸짖어 오명이 퍼지고, 몸이 무너져 죽은 뒤 지옥에 태어날 것이다"라고.
>
> 이와 같이 현세와 후세에 과보가 있기 때문에 몸으로 악행을 끊고, 몸으로 선행을 닦아야 합니다. 몸과 마찬가지로 말과 마음의 악행도 그와 같습니다. 이것을 사유의 힘이라고 합니다.
>
> 어떤 것을 수행의 힘이라고 하는가요?
>
> 그것은 사념처(四念處)입니다.
>
> \- 잡아함경

요즘 널리 사용되는 '명상'이란 용어는 원래 불교에 근거한 용어는 아닙니다. 서양에서 사용한 'Meditation'이란 단어를 근대에 한자로 번역한 것이기 때문입니다. 그렇지만 지금은 불교 수행법을 대표하는 용어로 자리매김하였습니다. 명상의 라틴어 어원을 살펴보면,

① '숙고하다', ② '치유하다'는 두 가지 뜻이 있습니다. 이것은 불교 명상과도 일맥상통하고 있습니다. 불교 명상도 사유와 치유라는 두 가지 기능을 가지고 있기 때문입니다.

먼저 사유의 측면을 살펴보겠습니다. 지성(知性)은 오직 인류만이 지니고 있는 특징입니다. 인간은 본능에 지배를 받지만, 그 본능을 제어하고 넘어설 수 있는 지적인 능력을 갖추고 있습니다. 불교는 지성의 힘, 합리적 판단력을 믿습니다. 그렇기에 무조건적 믿음이 아니라 이해를 바탕으로 한 믿음을 강조하는 것입니다. 이것을 확신이라고 합니다. 선행을 선행이라고, 악행을 악행이라고 정확히 구분할 수 있는 것이 사유의 힘입니다.

그렇다면 치유의 측면은 무엇일까요? 그것은 바로 번뇌의 소멸에 있습니다. 번뇌는 인간이 겪는 정신적 고통을 가리키는 용어입니다. 탐욕, 분노, 실의, 좌절, 우울, 적의, 기쁨, 즐거움 등 거의 모든 감정이 번뇌에 포함됩니다. 수행을 하면 그런 번뇌들로부터 일시적이거나 또는 영원히 벗어나게 됩니다. 그렇기 때문에 수행은 치유의 측면을 가지고 있다고 말하는 것입니다.

사람이 살아가면서 수많은 번뇌를 안고 살아갑니다. 그 가운데 어떤 번뇌가 가장 괴롭다고 느껴지시는지요?

자신을 가장 괴롭히는 번뇌의 종류를 아래의 공간에 구체적으로 적어 보시기 바랍니다. 다른 분들은 어떤 번뇌로 괴로움을 겪고 있는지 서로의 의견을 나누어 보십시오.

2) 사념처란 무엇인가

부처님의 말씀을 읽겠습니다.

여기서 그대들은 자신을 섬으로 삼고, 자신을 귀의처로 삼아 머물고, 남을 귀의처로 삼아 머물지 마십시오. 법을 섬으로 삼고, 법을 귀의처로 삼아 머물고, 다른 것을 귀의처로 삼아 머물지 마십시오.

그러면 어떻게 비구는 자신을 섬으로 삼고, 자신을 귀의처로 삼아 머물고, 남을 귀의처로 삼아 머물지 않는가요? 법을 섬으로 삼고, 법을 귀의처로 삼아 머물고, 다른 것을 귀의처로 삼아 머물지 않는가요?

비구들이여, 여기 비구는 몸에서 몸을 관찰하며 머뭅니다. 세상에 대한 욕심과 싫어하는 마음을 버리면서 근면하게, 분명하게 알고 마음챙기는 자 되어 머뭅니다.

느낌에서 느낌을 관찰하며 머뭅니다. 세상에 대한 욕심과 싫어하는 마음을 버리면서 근면하게, 분명하게 알고 마음챙기는 자 되어 머뭅니다.

마음에서 마음을 관찰하며 머뭅니다. 세상에 대한 욕심과 싫어하는 마음을 버리면서 근면하게, 분명하게 알고 마음챙기는 자 되어 머뭅니다.

법에서 법을 관찰하며 머뭅니다. 세상에 대한 욕심과 싫어하는 마음을 버리면서 근면하게, 분명하게 알고 마음챙기는 자 되어 머뭅니다.

-대반열반경

불교 명상과 이웃 종교 명상의 차이점은 무엇일까요? 이웃 종교의 명상은 대체로 마음을 집중하는 형태를 취하고 있습니다. 신의 이름을 부른다던지, 노래를 부른다던지, 춤을 춥니다. 그러면서 마음을 그 대상에 집중하는 것입니다. 이러한 명상의 목적은 삼매를 얻는데 있습니다. 삼매는 매우 높은 희열감과 행복감을 일으키고, 일시적으로 정신적 번뇌를 가라

앉힙니다.

그러나 불교에는 이와 다른 방식의 명상 수행법이 존재합니다. 그래서 이것을 불교와 이웃종교를 구분하는 기준으로 사용하기도 합니다. 그것은 바로 '관찰 명상'으로서 인간의 지성을 사용하는 방법입니다. 이것을 사념처라고 합니다. 부처님께서 열반을 앞두고 남기신 유훈에서도 위와 같이 당부하셨을 만큼, 사념처는 부처님이 가장 강조하셨던 명상 수행법입니다. 몸(身), 느낌(受), 마음(心), 법(法) 등 네 가지 범주에 대한 마음챙김이기 때문에 사념처라고 하셨습니다. 인간은 정신과 물질로 구성되어 있습니다. 물질의 영역이 몸이고, 정신의 영역이 느낌, 마음, 법입니다. 따라서 사념처는 인간이라는 존재에서 발생하는 모든 현상을 관찰하는 명상인 것입니다. 이것을 위빠사나라고도 합니다.

추상적인 주제는 우리에게 분명하게 인식되지 않습니다. 예를 들어서, '평화', '행복' 같은 단어를 명상주제로 한다면, 각자의 입장에 따라 다양한 인식을 유발할 것입니다. 그러나 '뜨거운 찻잔을 잡은 느낌', '머리끝까지 화가 치솟은 감정' 등은 누구나 분명하게 인식할 수 있습니다. 왜냐하면 이것은 살아가면서 누구나 경험하는 부분이기 때문입니다.

사념처가 몸, 느낌, 마음, 법의 네 가지 범주를 관찰하게 하는 이유가 여기에 있습니다. 특히 가장 명확하게 다가오는 몸에 대한 관찰을 시작으로, 느낌, 마음 그리고 법으로 순서를 정한 것도 초심자를 위한 배려라 할 수 있습니다. 이와 같이 사념처는 누구나 경험하는 것들을 명상주제로 하고 있기 때문에 남녀노소를 불문하고 쉽게 시작할 수 있는 것입니다.

집중 명상과 관찰 명상 가운데 어떤 것이 더 뛰어나느냐 하는 것은 각자의 적성에 달린 문제입니다. 따라서 이런 주제를 놓고 불필요한 논쟁을 벌일 필요는 없습니다. 다만 불교와 이웃종교 명상법을 구분하는데 관찰 명상이 중요한 특징이라는 점만은 알아둘 필요가 있습니다.

사념처가 무엇인지 알고 계셨나요? 아니면 처음 들어보시는지요?

자신이 생각한 사념처의 요점을 아래의 공간에 적어보시기 바랍니다. 그리고 앞으로 내용을 읽어보시고, 자신이 가졌던 원래 관점과의 유사점과 차이점을 비교해 보시기 바랍니다.

3) 몸에 대한 관찰

(1) 호흡 관찰

> **길게 들이쉬면서 길게 들이쉰다고 꿰뚫어 안다.**
> **길게 내쉬면서 길게 내쉰다고 꿰뚫어 안다.**
> **짧게 들이쉬면서 짧게 들이쉰다고 꿰뚫어 안다.**
> **짧게 내쉬면서 짧게 내쉰다고 꿰뚫어 안다.**
>
> **-대념처경**

몸에 대한 관찰은 쉽게 말하자면 몸에서 일어나는 모든 현상을 관찰하는 것입니다. 그러나 현실적으로 그 모두를 관찰하는 것은 쉽지 않습니다. 그래서 호흡 관찰부터 시작하는 것이 일반적입니다. 우리는 살아 있는 한 숨을 쉬어야만 합니다. 모든 생명체는 태어나서 죽을 때까지 호흡과 함께 합니다. 그래서 호흡은 우리에게 가장 쉽고도 유용한 명상주제인 것입니다.

호흡 관찰을 할 때 가장 기본적인 자세는 앉는 것입니다. 앉아야 몸과 마음이 편안하게 안정이 되기 때문입니다. 마치 거친 물결이 가라앉은 호수에 사물이 제대로 비추는 것과 같습니다. 우리의 몸과 마음도 그런 식으로 안정이 되어야 제대로 관찰을 할 수 있습니다.

이렇게 앉은 뒤에 호흡을 관찰합니다. 경전에는 호흡을 관찰하는 방법으로 16가지가 설해져 있지만, 초심자들에게는 위의 두 가지 방법으로 충분합니다. 호흡을 관찰할 때 마음을 두는 위치가 중요합니다. 어느 한 지점으로 정해진 것은 없습니다. 일반적으로 들숨과 날숨이 드나들면서 바람이 코에 닿는 지점인 양 콧구멍과 윗입술 인중을 연결하는 역삼각형(▽) 부분을 관찰합니다. 또는 배의 움직임을 관찰해도 됩니다. 들숨에 배가 불룩해지고, 날숨에 배가 홀쭉해지는 현상을 관찰하는 것입니다.

한 가지 유념해야 할 사항은 마음을 코끝에 둔다고 해서 눈으로 코끝을 바라보는 것이 아니라는 점입니다. 눈으로 코끝을 바라보게 되면 두통, 어지럼증 등이 찾아올 수 있습니다.

(2) 몸의 동작 관찰

걸어가면서 걷고 있다고 꿰뚫어 안다.
서있으면서 서있다고 꿰뚫어 안다.
앉아 있으면서 앉아 있다고 꿰뚫어 안다.
누워있으면서 누워있다고 꿰뚫어 안다.
또 그의 몸이 다른 어떤 자세를 취하고 있든 그 자세대로 꿰뚫어 안다.

-대념처경

몸의 동작은 걷고, 서고, 앉고, 눕는 네 가지 큰 동작이 있습니다. 이를 '행주좌와(行住坐臥)'라고 합니다. 이 밖에도 팔을 구부렸다 펴고, 고개를 돌리고, 음식을 먹고, 대소변을 누는 세세한 동작들이 있습니다. 부처님께서는 이러한 동작들을 모두 분명히 알면서 하라고 말씀하셨습니다.

특히 이 명상주제는 현대인들에게 적합합니다. 현대인들은 아침부터 저녁까지 분주하게 움직이기 때문입니다. 아침에는 출근이나 등교 준비로 분주합니다. 잠자리에 들기 전이 좌선하기 적당하게 한가한 시간이지만, 그때는 하루의 피로가 몰려오기 때문에 집중력이 잘 생기지 않습니다. 따라서 평소 일상생활을 하면서 평소 무관심하게 지나쳤던 자신의 동작을 관찰하는 것이 현대인들에게 무척 요긴한 명상인 것입니다.

[질문] 몸에 대한 마음챙김을 해보셨나요?

[토의] 몸에 대한 마음챙김을 실천하고 느낀 점을 아래의 공간에 적어보시기 바랍니다. 그 경험을 같은 수행을 하고 있는 다른 분들과 나누어 보시기 바랍니다.

4) 느낌에 대한 관찰

> 즐거운 느낌을 느끼면서 즐거운 느낌을 느낀다고 꿰뚫어 안다.
> 괴로운 느낌을 느끼면서 괴로운 느낌을 느낀다고 꿰뚫어 안다.
> 괴롭지도 즐겁지도 않은 느낌을 느끼면서 괴롭지도 즐겁지도 않은 느낌을 느낀다고 꿰뚫어 안다.
>
> -대념처경

우리는 항상 어떤 느낌을 느끼며 살아가고 있습니다. 단지 그런 느낌들에 주목하지 않기 때문에 모른 채 지나가는 것일 뿐입니다. 우리의 몸과 마음에서는 즐거운 느낌(=좋아하는 느낌), 괴로운 느낌(=싫어하는 느낌), 괴롭지도 즐겁지도 않은 느낌(=무덤덤한 느낌)들이 반복해서 일어났다가 사라집니다. 인간이란 존재는 이 세 가지 느낌에서 풀려날 수 없습니다.

느낌에 대한 마음챙김이 중요한 이유는 저러한 느낌에 대한 호불호 때문에 탐욕과 성냄이 일어나기 때문입니다. 즐거운 느낌을 만나면 '즐겁다!'라고 애착이 일어납니다. 그리고 그러한 즐거움이 사라지면, 그 즐거움을 유지하고 싶은 괴로움이 발생하는 것입니다. 반대로 괴로운 느낌을 만나면 '괴롭다!'라는 싫어하는 마음이 일어납니다. 그 괴로움이 지속되면, 그것을 떨쳐내고 싶어서 성냄이 발생하는 것입니다.

느낌을 관찰하면서, 탐욕과 성냄으로부터 풀려날 수 있습니다. 그 첫 번째 이유는 느낌이라는 현상에 마음을 집중하면 탐욕과 성냄이라는 번뇌가 일시적으로 눌려지게 됩니다. 마치 풀을 돌로 눌러놓으면 풀잎이 고개를 들지 못하는 원리와 같습니다. 두 번째 이유는 좋아하는 마음과 싫어하는 마음들이 계속해서 일어남과 사라짐을 반복한다는 사실을 이해하게 되기 때문입니다. 이것이 무상을 이해한 것입니다. 이러한 이해가 탐욕와 성냄의 족쇄를 약하게 만듭니다. 이런 이유 때문에 느낌 관찰을 통해 번뇌로부터 풀려나는 것입니다. 이러한 원리는 사념처의 다른 관찰들에서도 동일하게 적용할 수 있습니다.

느낌에 대한 마음챙김을 해보셨나요?

느낌에 대한 마음챙김을 실천하고 느낀 점을 아래의 공간에 적어보시기 바랍니다. 그 경험을 같은 수행을 하고 있는 다른 분들과 나누어 보시기 바랍니다.

5) 마음에 대한 관찰

탐욕이 있는 마음을 탐욕이 있는 마음이라고 꿰뚫어 안다.
탐욕을 여읜 마음을 탐욕을 여읜 마음이라고 꿰뚫어 안다.
성냄이 있는 마음을 성냄이 있는 마음이라고 꿰뚫어 안다.
성냄을 여읜 마음을 성냄을 여읜 마음이라고 꿰뚫어 안다.
미혹이 있는 마음을 미혹이 있는 마음이라고 꿰뚫어 안다.
미혹을 여읜 마음을 미혹을 여읜 마음이라고 꿰뚫어 안다.

-대념처경

사념처 수행에서는 마음을 하나의 본질적인 덩어리로 보지 않고, 마음도 연속해서 일어나는 현상으로 간주합니다. 그렇기 때문에 마음을 해체해서 분석하는 것이 가능한 것입니다. 경전에서 마음을 관찰하는 방법으로 8가지가 설해져 있지만, 초심자들에게는 탐욕, 성냄, 미혹 등 3가지를 관찰하는 것으로도 충분합니다.

자기의 마음에 탐욕이 일어날 때 탐욕이 일어났는지 아는 것이 핵심입니다. 탐욕을 제거하느냐 하는 문제는 일단 그 다음의 일입니다. 탐욕이 일어났는지 알지 못하는 상황에서 탐욕을 제거하고 말고를 이야기 할 수 없기 때문입니다. 이처럼 마음의 상태를 확인하면, 그렇게 마음챙기는 힘에 의해 번뇌가 약해지기 시작합니다. 이처럼 자기의 마음을 성찰하면서 탐욕, 성냄, 미혹이라고 하는 삼독심이 있는지 없는지 관찰하는 것이 마음에 대한 관찰인 것입니다.

[질문] 마음에 대한 마음챙김을 해보셨나요?

[토의] 마음에 대한 마음챙김을 실천하고 느낀 점을 아래의 공간에 적어보시기 바랍니다. 그 경험을 같은 수행을 하고 있는 다른 분들과 나누어 보시기 바랍니다.

6) 법에 대한 관찰

> 이것이 물질이다. 이것이 물질의 일어남이다. 이것이 물질의 사라짐이다.
> 이것이 느낌이다. 이것이 느낌의 일어남이다. 이것이 느낌의 사라짐이다.
> 이것이 인식이다. 이것이 인식의 일어남이다. 이것이 인식의 사라짐이다.
> 이것이 심리현상들이다. 이것이 심리현상들의 일어남이다. 이것이 심리현상들의 사라짐이다.
> 이것이 의식이다. 이것이 의식의 일어남이다. 이것이 의식의 사라짐이다.
>
> -대념처경

'법'이라는 단어에는 여러 가지 의미가 함축되어 있습니다. 어떨 때는 부처님의 가르침을 법이라 하고, 어떨 때는 정신적 현상을 법이라 합니다. 이외에도 여러 가지 뜻이 있습니다. 법에 대한 관찰에서는 부처님의 가르침과 정신적 현상을 그 대상으로 합니다. 경전에서는 법에 대한 관찰로 5가지가 설해져 있는데, 초심자들은 위와 같은 오온(五蘊)에 대한 관찰부터 시작하는 것이 좋습니다.

다섯 가지로 구성된 오온을 물질과 정신(=느낌, 인식, 심리현상들, 의식)으로 통합할 수 있습니다. 인간이 물질과 정신으로 구성된 존재이기 때문에 이것은 우리의 존재에서 일어났다가 사라지는 모든 현상을 관찰하는 것입니다. 부처님께서는 이 일어남과 사라짐의 지혜를 재가자들이 갖추어야 할 지혜로 강조하신 바 있습니다. 법에 대한 관찰은 앞에서 소개했던 몸, 느낌, 마음에 대한 관찰보다 어려운 명상주제이기 때문에 가급적 앞의 세 가지에서 출발하시기를 권합니다.

법에 대한 마음챙김을 해보셨나요?

법에 대한 마음챙김을 실천하고 느낀 점을 아래의 공간에 적어보시기 바랍니다. 그 경험을 같은 수행을 하고 있는 다른 분들과 나누어 보시기 바랍니다.

※ 양식. 일일점검표(예시)

일일 점검표						
일자	기상 (호흡관찰)	아침 (걷기관찰)	점심 (느낌관찰)	오후 (마음관찰)	저녁 (법관찰)	돌아보기
1/1	○	×	×	×	×	잠에서 깬 후 잠시 의자에 앉아 호흡관찰을 하였음.
1/2	×	○	×	×	×	버스 정거장까지 가는 동안 걸음을 관찰하였음.
1/3	○	○	○	×	×	점심 때 싫어하는 음식을 먹었음. 그때 싫어하는 느낌을 관찰하였음.
1/4	×	○	×	×	○	오늘 하루 내 마음에 있었던 탐욕, 성냄, 어리석음을 성찰하였음.
…	…	…	…	…	…	…

3. 명상의 효과

불교의 수행은 계율을 지키는 것에서 출발해서 위와 같은 순서를 따라 해탈에 도달합니다. 이러한 과정을 줄여서 계율, 선정, 지혜의 삼학(三學)이라고 합니다.

① 계율을 지키면 마음이 청정해집니다.
② 마음이 청정하면 집중이 잘 됩니다.
③ 집중이 잘 되면 사실대로 알 수 있습니다.
④ 사실대로 알면 세속에 대한 역겨움이 일어나면서 탐욕이 사라집니다.
⑤ 탐욕이 사라지면 마음이 번뇌로부터 벗어납니다.

이것은 모든 인간에게 공통적으로 적용되는 흐름입니다. 그런데 이때 '내가 이만큼 수행했으니, 이만큼 번뇌가 줄어들었다!'라고 알아지는 것이 아닙니다. 자기도 인식하지 못하는 사이에 번뇌들로부터 벗어나게 되는 것입니다. 그리고 번뇌로부터 벗어난 뒤에 '내가 이러이러한 번뇌로부터 벗어났구나!'라고 확인할 수 있습니다. '해탈지견(解脫知見)'이란 용어는 이것을 말하는 것입니다.

> 비구들이여, 예를 들면 목수나 목수의 도제는 도끼자루에 생긴 손가락 자국이나 엄지손가락 자국을 보고 "오늘은 나의 도끼자루가 이만큼 닳았고, 어제는 이만큼 닳았고, 그 전에는 이만큼 닳았다"라고는 알지 못합니다. 대신에 다 닳았을 때 닳았다고 압니다.
>
> 그와 같이 수행에 몰두하는 비구는 "오늘은 나의 번뇌들이 이만큼 소멸했고, 어제는 이만큼 소멸했고, 그 전에는 이만큼 소멸했다"라고는 알지 못합니다. 대신에 멸진했을 때 멸진했다고 압니다.
>
> \- 도끼자루 경

명상 수행의 궁극적인 목적은 해탈이지만, 우리 모두가 해탈을 성취하기는 어렵습니다. 왜냐하면 각자가 처한 환경이 다르고, 개인적인 노력의 정도가 다르기 때문입니다. 그리고 번뇌로부터 해탈하는 것만을 명상의 효과라고 할 수는 없습니다. 수행을 통해 일시적으로라도 마음이 평안하면 그것만으로도 충분하기 때문입니다. 1초, 1초가 모여 1분이 되고, 1분이 모여 1시간이 되며, 1시간이 모여 하루가 되고, 하루가 모여 1년이 되고, 1년이 모여 일생이 되기 때문입니다. 따라서 지금 이 순간에 행복한 것은 매우 훌륭한 일입니다.

이러한 점을 이해하기 위해서 '디폴트 모드 네트워크(Default Mode Network)'가 좋은 사례가 됩니다. 이것은 2001년 미국 워싱턴대 의과대학에서 인간의 신경망이 작동하는 원리를 발견한 것입니다. 우리가 특정한 일에 집중하지 않을 때 자동으로 작동하는 인간의 신경망을 '디폴트 모드 네트워크'라고 합니다. 이러할 때 우리 마음은 대개 과거에 대한 생각 아니면 미래에 대한 생각을 헤맨다고 합니다. 과거와 미래에 대한 생각에 몰입함으로 인해 분노, 후회, 우울, 걱정, 초조, 불안감이 발생하는 것입니다.

그러할 때 명상을 하는 사람은 생각에 따라다니지 않고, 자신의 몸과 마음을 관찰하기 때문에 의식이 깨어 있게 됩니다. 자연스럽게 무의식은 힘을 잃게 되고 분노, 후회, 우울, 걱정, 초조, 불안감이 줄어들 수밖에 없는 것입니다. 그리고 이렇게 마음의 힘을 길러나가면, 언젠가는 부처님 가르침의 핵심인 무상, 고, 무아의 삼법인(三法印)을 이해할 수 있게 되는 것입니다.

모든 형성된 것은 영원하지 않다고
지혜로 보면
괴로움에 넌더리가 납니다.
이것이 청정의 길입니다.

모든 형성된 것은 괴로움이라고
지혜로 보면
괴로움에 넌더리가 납니다.
이것이 청정의 길입니다.

모든 현상은 자아가 없다고
지혜로 보면
괴로움에 넌더리가 납니다.
이것이 청정의 길입니다.

- 법구경

일정 기간 동안 참선을 한 다음, 그렇게 해서 얻은 결실에 대해 각자가 경험한 일들을 아래의 공간에 솔직하게 기록해 주십시오. 그리고 이 내용으로 다른 분들과 경험담을 나누어 보시기 바랍니다. 일상생활에서 얻는 정신적인 행복, 만족감, 편안함, 인간관계의 변화 등에 초점을 맞추어 보시기 바랍니다.

V. 보살행

1. 보살행이란 무엇인가

1) 보리심에 대한 이해

보리심은 씨앗과 같아서 모든 불법을 생겨나게 합니다.
보리심은 좋은 논밭과 같이 중생의 청정한 법을 기르며,
대지(大地)와 같이 모든 세간의 의지처가 되며,
자애로운 아버지와 같이 여러 보살들을 이끌고 보호합니다.

- 화엄경, 입법계품

부처님께서는 성도하시기 전, 기나긴 전생을 거치며 보살행을 하셨습니다. 이와 관련해서 보살의 전생 이야기 547개가 『본생경』에 전합니다. 보살행은 이러한 경전적 근거에 입각한 것입니다. 그리고 대승불교에서는 "일체 중생 모두에게 불성이 있다"라는 선언처럼 모든 중생이 부처님의 성품을 조금도 부족함 없이 본래 갖추고 있다고 봅니다. 본래 갖추고 있는 부처님 성품을 발현시키는 길은 부처님 되는 것을 인생의 목표로 설정하고 부처님처럼 살아가려고 부단히 노력하는 것입니다. 부처님이 되겠다는 목표 설정을 '보리심'이라 하고, 부처님처럼 살아가는 실천을 '대비원력' 또는 보살행이라 합니다.

이러한 보리심은 대승보살의 발원으로 나타납니다. 발원은 깨달음을 이루는 씨앗이 되고, 이번 생과 다음 생의 행복을 기약합니다. 대표적인 발원은 법회의 마지막에 사부대중이 합송하는 '사홍서원(四弘誓願)'이라 할 수 있습니다. 보살의 서원은 세 가지 단계로 구성되어 있습니다. 첫째는 모든 중생을 구제하겠다는 서원, 둘째는 최상의 깨달음을 이루겠다는 서원, 셋째는 불국토를 건설하겠다는 서원입니다.

- 중생을 다 건지오리다
- 번뇌를 다 끊으오리다
- 법문을 다 배우오리다
- 불도를 다 이루오리다

평소 보살행에 대한 관심이 있으셨는지요? 관심이 있었다면 보리심이란 용어가 무슨 뜻인지 알고 계셨는지요?

보살행과 보리심에 대한 자신의 생각을 아래의 공간에 적어보시기 바랍니다. 그리고 그 내용을 다른 분들과 나누어 보시기 바랍니다.

2) 자비와 지혜의 병행

> **모든 중생의 병 때문에 나도 아픈 것입니다. 만약 모든 중생의 병이 소멸하면, 내 병도 소멸합니다. 왜 그렇겠습니까? 보살은 중생을 위하기 때문에 생사(生死)에 들어가고, 생사가 있기 때문에 병이 있습니다. 만약 중생이 병에서 벗어나면, 보살도 다시는 병이 없습니다.**
>
> **- 유마경**

불교는 자비의 종교인 동시에 지혜의 종교입니다. 마치 새가 하늘을 날기 위해서 양 날개가 있어야 하는 것처럼 자비와 지혜는 불교가 진리를 깨닫고, 진리를 실천하며, 대중과 함께 할 수 있도록 해주는 양 날개인 것입니다. 보살은 중생들을 돕기 위해 가능한 최선의 방법을 찾아 실천합니다. 심지어 석가모니 부처님의 전생에서 보살은 자신의 재산은 물론이고 자신의 몸과 목숨까지 바친 경우도 많았습니다. 그가 이처럼 자비심을 일으키는 이유는 '중생이 아프면 보살도 아프다'는 동체대비(同體大悲)의 정신을 가지고 있기 때문입니다.

이러한 자각은 우리의 내면에 잠재되어 있는 자비의 마음을 일깨웁니다. 그런데 자비는 하나의 마음이 아니라, '자(慈)'는 자애의 마음, '비(慈)'는 연민의 마음입니다. 자애란 모든 중생을 자식과 같이 사랑하는 마음이고, 연민은 자식과 같이 사랑하는 그들의 고통을 구제하려는 마음입니다. 대승불교의 핵심은 일체 중생이 함께 평화와 행복을 완성하기 위해 존재의 실상을 통찰하고, 널리 이웃을 위한 실천을 하는 것입니다. 이웃을 사랑하고, 이웃의 고통에 공감하며, 이웃을 위하여 이웃과 함께 나아가는 마음이 자비심입니다. 모든 보살행의 바탕에는 이 자비심이 자리잡고 있습니다.

그런데 특정한 실천을 한정하여 보살행이라고 할 수는 없습니다. 상대의 성향과 수준, 상대가 좋아하는 것에 따라 무량한 방편을 펼치기 때문입니다. 다만 교리적으로 억지로 항목을 잡아서 설명하자면 육바라밀(六波羅蜜), 십바라밀(十波羅蜜), 사무량심(四無量心), 사섭법(四攝法) 등을 대표적인 보살 수행으로 거론합니다. 사무량심만 간략히 살펴보도록 하겠습니다.

① 자애(慈) : 자식을 향한 사랑의 마음, 좋은 친구를 향한 우정의 마음
② 연민(悲) : 아프고 힘든 것에 공감하고, 그것을 없애주려는 고통감수성
③ 기쁨(喜) : 기쁨을 나누고, 상대의 기쁨을 내 일처럼 기뻐함
④ 평온(捨) : 마음이 대상에 동요되지 않고, 대상을 차별하지 않는 평화, 평온, 평등의 마음

한 마디로 표현 하자면 '이타행'이라 할 수 있습니다. 따라서 보살의 수행은 중생에 대한 자비심을 바탕으로 끝없는 이타행을 해나가는 것입니다.

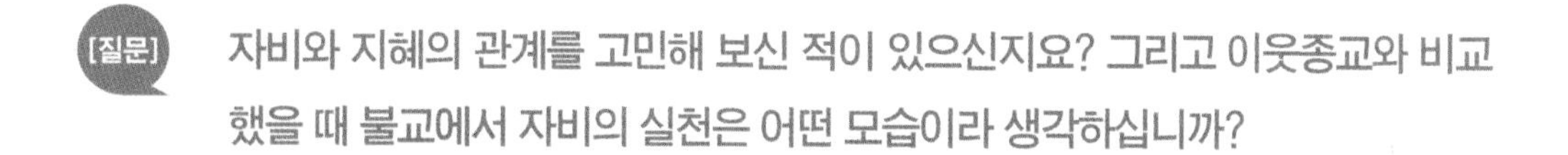

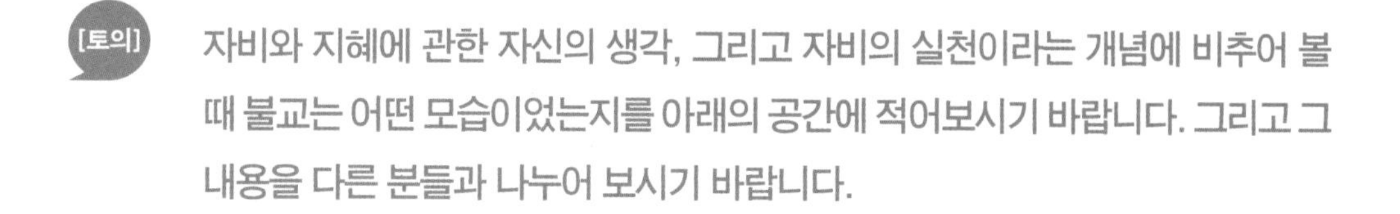

2. 현대사회에서 보살행의 필요성

세존이시여, 저는 오늘부터 보리를 이룰 때까지, 만일 고독하여 의지할 데 없거나, 구금을 당하거나, 병이 나거나, 여러 가지 재앙과 곤란에 빠져 괴로워하는 중생들을 본다면 잠깐이라도 그냥 두지 않겠으며, 반드시 그들을 편안케 하며, 의(義)로써 이롭게 하여 여러 가지 괴로움에서 벗어나도록 한 뒤에 떠나겠습니다.

\- 승만경

대승불교는 모든 존재가 본래 부처님 성품을 조금도 부족함 없이 가지고 있으며, 무명 번뇌에 가려져 있는 그것을 드러내기만 하면 즉시 부처님으로 살아갈 수 있다는 관점을 바탕으로 합니다. 그 어떤 종교보다도 인간의 가치와 가능성을 높이 평가하고 있는 것이지요. 그런데 한국불교는 경전에서 강조하고 있는 것과 달리 현실적으로 헌신, 봉사, 참여에 소극적이라는 평가를 받습니다.

대승불교를 지금 여기 실천의 영역에서 펼치기 위해서는 대승불교의 연기관에 대한 이해가 필요합니다. 화엄사상에서 '법계연기(法界緣起)'라는 말은 전체는 하나 속에 들어가며, 하나는 전체 속에 들어가고, 하나를 잡으면 전체가 드러나고, 전체는 하나로써 나타나니, 하나가 곧 전체요, 전체가 곧 하나임을 드러냅니다. 우리 한 사람 한 사람의 가치가 전체의 가치와 다르지 않고, 모든 존재가 제각각 가장 존귀합니다. 이런 연기관을 비유로 말한 것이 인드라망입니다. 이러한 원리에 입각하면 상대를 이롭게 하는 이타행이 결국 자신도 이롭게 하는 것입니다. 이를 현대적 언어로 풀어내면 아래와 같습니다.

시간적으로 이 세상에 있는 모든 것은 홀로 생겨난 것이 아니라 그럴 만한 까닭, 즉 인연이 있어서 생겨난 것이다. 즉, 직접적 원인인 인(因)과 간접적 원인인 연(緣)이 모아져서 한 존재의 모습은 나타난다……. 또 공간적으로 보면 모든 있는 것은 홀로 고립해 있는 것이 아니라 다른 모든 것들과 뗄 수 없는 관계 속에 서로 영향을 주고받으며 '더불어' 있다……. 예를 들어서 밥 한 끼 먹는 일도 실은 나 혼자만의 힘으로 가능한 것이 아니라 이름 모를 수많은 사람들, 그리고 전 우주적 힘으로 가능한 것이다.

\- 미래사회를 향한 불타의 가르침

과거에는 지구의 모든 생명이 상호 연관되어 존재한다는 사실을 이해할 수 있는 사람이 드물었습니다. 하지만 지금은 환경오염, 지구온난화, 바이러스와 세균, 테러리즘, 자원고갈, 경제위기 등으로부터 자유로울 사람이 존재할 수 없다는 사실을 누구나 이해합니다. 다만 이해의 깊이와 실천의 폭이 다를 뿐입니다.

따라서 현대사회를 살아가는 대승 보살은 보살행의 외연을 확장합니다. 남을 배려하는 것은 보시, 도덕과 사회법을 준수하는 것은 지계, 다른 사람을 이해하고 용서하는 것은 인욕, 이러한 마음을 꾸준히 지속하는 것은 정진, 바르게 집중하여 행동하는 것을 선정, 이러한 행동을 때와 장소에 맞게 하는 것을 지혜로 볼 수 있습니다. 사회문제 전체가 보살행의 대상이 되는 것입니다. 국가의 세금 · 복지정책까지 보시의 범주에 포함시킬 수 있습니다. 그리고 종무행정과 포교사업 등을 통해 불교의 발전을 위해 노력하는 것 역시 보시입니다. 이러한 보살행을 통해 각양각색의 성향을 가진 대중을 모두 수용할 수 있게 되는 것입니다.

※ 이웃종교의 사례 1. 천주교의 사회참여

교회의 사회 참여는 신자들이 사회 안에서 인간의 존엄성을 현실화하기 위하여 행하는 모든 활동을 말한다.

- 한국천주교 사목지침서

※ 이웃종교의 사례 2. 신학생의 의무적 봉사활동

가톨릭대학 신학생들은 군에서 전역한 뒤 약 1년간 국내 및 해외에서 봉사활동을 함. 신체적 사유 때문에 군 면제를 받은 신학생들은 기간을 늘려 3년간 봉사활동을 함.

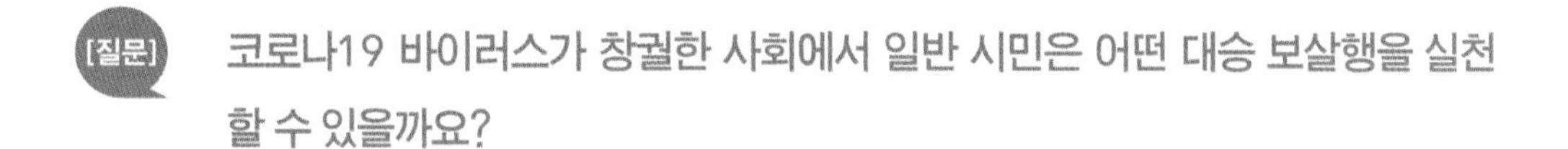

[질문] 코로나19 바이러스가 창궐한 사회에서 일반 시민은 어떤 대승 보살행을 실천할 수 있을까요?

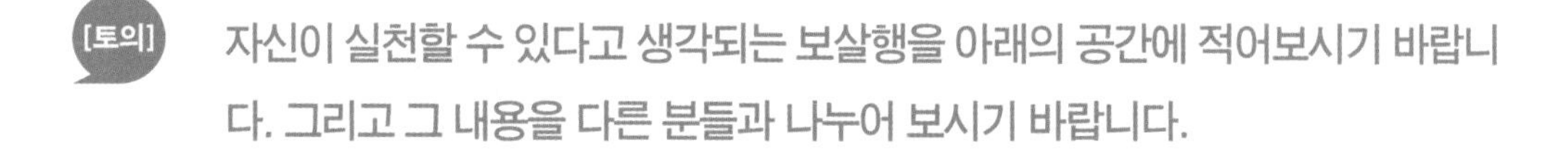

[토의] 자신이 실천할 수 있다고 생각되는 보살행을 아래의 공간에 적어보시기 바랍니다. 그리고 그 내용을 다른 분들과 나누어 보시기 바랍니다.

3. 보살행의 실천 방법

부처님이 전생에 원숭이 모습으로 태어나셨을 때 하셨던 보살행을 수록한 본생담을 읽겠습니다.

보살은 전생에 원숭이 우두머리로 태어난 적이 있다. 어떤 바라문이 숲 속에서 길을 잃고 100길 높이의 벼랑에 떨어졌다. 그의 곤경을 본 보살은 불쌍히 여겨서 그를 구해주려고 애를 썼다. 결국 그 바라문은 안전한 장소로 올 수 있었다. 그러고 나서 탈진한 보살은 아무런 의심 없이 바라문의 무릎에서 잠에 빠졌다. 그 바라문은 이렇게 생각했다.

'나는 오늘 아무것도 벌지 못했다. 내가 집에 돌아가면 아내가 화를 낼 것이다. 만약 내가 원숭이 고기를 가지고 집에 가면 얼마나 기쁜 일인가! 내 아내는 얼마나 즐거워할까!'

자기의 영리한 생각에 만족한 바라문은 돌로 원숭이의 머리를 쳤다. 잔악한 타격에 피가 사방으로 튀었다. 혼미해지고 피로 덮인 채 원숭이는 나무 위로 뛰어올라갔다. 그는 이런 일이 벌어졌다는 것을 믿을 수 없었다. "아, 이 세상에는 저런 인간들도 있구나." 그런데 그의 마음에는 '표범, 호랑이, 그 밖의 사나운 동물들로 가득한 숲에서 어떻게 저 남자를 안전하게 집으로 보내야할까?'라는 생각이 일어났다. 그는 바라문에게 말했다.

"지금 당신은 집으로 출발해야 한다. 내가 이 숲을 나갈 길을 당신에게 안내해야만 한다. 그러나 나는 당신을 믿지 못하겠다. 나는 나무에서 나무로 건너뛸 테니, 당신은 내 핏자국을 따라오라."

그렇게 바라문은 안전하게 집으로 돌아갈 수 있었다.

\- 큰 원숭이 본생담

이 이야기에는 보살행이 종합적으로 담겨져 있습니다. 곤경에 처한 바라문을 보았을 때 보살은 마치 그가 자기 아들인 것처럼 불쌍히 여겼고, 그를 구할 방법을 생각하기 시작했습니다. 이것이 자비입니다. ① 지혜는 바라문을 벼랑에서 꺼낼 계획을 고안한 것이며, ② 정진은 큰 위험을 감수하면서 계획을 실행하고 모든 힘을 쏟은 것입니다. ③ 인욕은 자신의 머리가 부서져 죽을 정도의 상처를 감내하고 화를 내지 않은 것입니다. 그리고 ④ 선정은 바라문의 사악한 행위에 대한 분노에 압도당하지 않고 마음의 평온을 유지한 것이라 할 수 있습니다. ⑤ 보시는 깊은 벼랑에서 바라문을 구한 것이며, ⑥ 지계는 어떤 저주도 하지 않고, 결코 보복하지 않은 것에 해당합니다. 보살의 행동에 매우 다양한 바라밀의 요소들이 갖추어져 있는 것입니다.

그러나 우리들이 이처럼 목숨을 걸고 하는 보살행을 실천하는 것은 일상적인 상황에서는 결코 쉬운 일이 아닙니다. 이렇게 큰 원력과 헌신이 필요한 보살행이 아니더라도 우리가 일상생활 속에서 실천할 수 있는 보살행은 많습니다. 지계, 정진, 선정, 지혜는 앞에서 설명한 계율, 염불, 간경, 참선 등 4대 수행법에 포함되므로, 여기서는 보시와 인욕 등 일상생활 속에서 쉽게 실천할 수 있는 보살행을 설명하겠습니다.

가. 개인적 영역의 보살행

만약 너희에게 구걸하는 사람이 찾아오면
그를 자신을 일깨우는 스승이라 생각하고
그가 나의 보살행의 바탕이라 생각하며
나의 가르침을 따라 베풀겠다는 생각을 하십시오.
재물을 베풀면서 아깝다는 마음이 없어야 탐욕심은 엷어지고
구걸하는 사람에게 자비심을 내야만 분노심이 엷어지며,
베풀면서 깨달음을 서원하였으니 어리석음이 엷어집니다.

- 보적경

보살행의 가장 기본적인 실천방법은 보시입니다. 보시는 부처님이나 성현의 가르침을 베푸는 법보시(法布施), 물품을 베푸는 재보시(財布施), 보살핌을 베푸는 무외시(無畏施)로 나눌 수 있습니다. 재보시는 가정생활을 여위하면서 부처님을 따르는 재가 보살의 중요한 수행덕목입니다. 부처님의 가르침을 현대사회에 펼치고 유지하여 미래에 전승할 근거지는 출가 보살의 공동체인 승가와 사찰입니다. 승가와 사찰을 경제적으로 유지시키고 발전시킬 거룩한 책무가 재가 보살에게 있습니다. 재보시를 할 때는 받아야 할 사람을 기준으로 하여 무엇이 가장 필요하고, 꼭 필요한지를 살펴야 합니다. 그리고 나에게 남는 것이 아니라 상대에게 필요한 것을 베풀어 줍니다.

베풀 때 내가 누구에게 무엇을 준다는 마음을 내지 않는 것이 더 훌륭합니다. 그렇게 하는 것이 우리를 더 크게 향상시키고, 받는 사람을 더 배려하는 방법이기 때문입니다. 자신의 특별한 재능을 기부하거나, 사찰을 비롯해 여러 장소와 단체에 가서 봉사활동을 하는 것도 보시입니다. 따돌림으로 고통받는 사람, 사회적 약자, 소수자, 소외된 사람들, 위기에 처한 사람들을 보호하고, 보살피고, 배려하는 것은 우리 사회를 더 안전하고 밝게 만드는 보살행입니다.

보시는 자기의 것을 남에게 나누어주는 행위를 통해 마음의 인색함을 제거하는 수행입니다. 돈이 없어서 보시를 할 수 없다고 낙심할 필요는 없습니다. 헌신하려는 마음만 있으면 무엇이든 보시를 할 수 있는 경우는 아주 많으니까요. '재물이 없어도 할 수 있는 일곱 가지 보시'라는 뜻의 무재칠시(無財七施)라는 가르침이 있습니다. 무재칠시는 보시의 다양성

을 잘 보여주고 있습니다.

❶ 눈으로 하는 보시(眼施)

항상 좋은 눈으로 부모, 스승, 사문, 바라문을 바라보고, 나쁜 눈으로 보지 않는 것을 안시라고 합니다. 몸을 버리고 새몸을 받으면 청청한 눈을 얻습니다. 미래에 성불할 때 천안(天眼)과 불안(佛眼)을 얻습니다. 이것을 제1의 과보라 합니다.

❷ 부드러운 얼굴과 기쁜 모습으로 하는 보시(和顔悅色施)

부모, 스승, 사문, 바라문에게 나쁜 얼굴 표정으로 대하지 않습니다. 몸을 버리고 새몸을 받으면 단정한 용모를 얻습니다. 미래에 성불할 때 참된 금색(金色)을 얻으니, 이것을 제2의 과보라 합니다.

❸ 말로 하는 보시(言辭施)

부모, 스승, 사문, 바라문에게 부드러운 말을 하고, 거칠고 나쁜 말을 하지 않습니다. 몸을 버리고 새몸을 받으면 언변(言辯)을 얻고, 말하는 것을 다른 사람들이 믿어줍니다. 미래에 성불할 때 네 가지 변재를 얻으니, 이것을 제3의 과보라 합니다.

❹ 몸으로 하는 보시(身施)

부모, 스승, 사문, 바라문에게 일어나서 예경하는 것을 신시라 합니다. 몸을 버리고 새몸을 받으면 단정하고 큰 몸을 얻고 사람들의 존경을 받습니다. 미래에 성불할 때 몸이 니그로다 나무 같아서 정수리가 보이지 않으니, 이것을 제4의 과보라 합니다.

❺ 마음으로 하는 보시(心施)

비록 앞에서와 같이 공양을 하더라도 마음이 평화롭지 않으면 보시라 할 수 없습니다. 좋은 마음으로 평화롭고, 공양이 깊이 생겨야 보시라 할 수 있습니다. 몸을 버리고 새몸을 받으면 어리석은 마음이 아니라 명료한 마음을 얻습니다. 미래에 성불할 때 모든 것을 아는 지혜를 얻으니, 이것을 제5의 과보라 합니다.

❻ 자리를 양보하는 보시(床座施)

부모, 스승, 사문, 바라문을 보면 자리를 펴서 앉게 하거나, 자기 자리를 양보해서 앉도록 청합니다. 몸을 버리고 새몸을 받으면 항상 존귀한 칠보좌(七寶座)를 얻습니다. 미래에 성불할 때 사자좌를 얻으니, 이것을 제6의 과보라 합니다.

❼ 쉴 곳을 제공하는 보시(房舍施)

부모, 스승, 사문, 바라문이 집 안에서 가고, 오고, 앉고, 눕도록 하는 것을 방사시라 합니다. 몸을 버리고 새몸을 받으면 자연스럽게 궁전을 얻습니다. 미래에 성불할 때 여러 선실(禪室)을 얻으니, 이것을 제7의 과보라 합니다.

\- 잡보장경

부처님께서는 "모든 악행을 하지 않고, 온갖 선행을 실천하며, 그 마음을 청정하게 하는 것이 모든 부처님들의 가르침이다"라고 말씀하셨습니다. 선행을 하려면 상대의 고통과 불편을 없애주려는 자비심이 바탕이 되어야 합니다. 용기, 기술, 지식을 동원해야 합니다. 이렇게 선행을 하면 우리의 인격이 더 좋아지고 세상이 더 아름다워집니다. 선행의 실천은 매우 훌륭한 수행입니다.

우리가 매일 선행을 반복한다면 그것이 습관으로 굳어집니다. 선행이 습관이 된 사람은 비슷한 상황을 만나면 저절로 선행을 베풀게 됩니다. 그리고 이처럼 좋은 습관이 자기 스스로를 청정하게 만듭니다. 이것이 바로 불교에서 말하는 업(業)의 원리인 것입니다. 불교에서 재가불자들에게 권하는 선행을 모은 십선계(十善戒)를 소개합니다.

① 살생하지 않겠습니다.
② 도둑질하지 않겠습니다.
③ 사음을 하지 않겠습니다.
④ 거짓말을 하지 않겠습니다.
⑤ 중상모략을 하지 않겠습니다.
⑥ 욕설을 하지 않겠습니다.
⑦ 잡담을 하지 않겠습니다.
⑧ 욕망에 빠지지 않겠습니다.
⑨ 원망, 분노와 질투에 빠지지 않겠습니다.

⑩ 삿된 견해를 갖지 않겠습니다.

'하루에 한 가지 선행을 하자'는 일일일선(一日一善)을 권유합니다. 처음부터 거창한 목표를 정할 필요는 없습니다. 화려한 말보다는 소박한 실천이, 아주 작은 것이라도 꾸준한 실천이 중요합니다. 자신이 쉽게 실천할 수 있는 선행을 불특정 다수에게 베푸십시오. 그리고 그 내용을 구체적으로 기록하십시오. 정확히 기록하는 일이 대단히 중요합니다. 왜냐하면 잘 기록할 때 나에게 기억으로 각인되며, 또 잘 기록된 것은 나를 비추는 거울이 되어 나를 계속 향상의 길로 인도하기 때문입니다. 만약 모든 사람이 하루에 한 가지씩 선행을 베푼다면, 우리가 살아가는 이 나라가 불국토로 변하지 않을까요?

※ 양식. 일일점검표(예시)

일일 점검표						
일자	보시	지계	인욕	정진	선정	지혜
1/1	오후 3시경 지갑을 놓고 와서 당황한 승객을 대신해서 자리를 양보했다.					
1/2			전철 안에서 갑자기 시비를 거는 사람을 만났으나 맞붙지 않고 인내했다.			잠자리에 들기 전에 경전을 독송했다.
1/3	일요법회에 나가 법당정리를 도왔다.			명상을 할 때 졸음이 밀려왔지만 견디었다.	아침에 일어나 세수를 한 뒤 10분간 명상을 했다.	
1/4		늦잠을 자서 중요한 약속시간에 늦고 말았다. '차가 막혀서'라고 핑계를 대고 싶었지만 꾹 참고 사실대로 말했다.				
…	…	…	…	…	…	…

일일점검표에 기록을 하며 보살행을 실천해 보셨는지요?

꾸준히 보살행을 실천하면서 느낀 점을 아래의 공간에 적어보시기 바랍니다. 그리고 그 내용을 다른 분들과 나누어 보시기 바랍니다.

정보통신의 발달로 인해 현대인들은 엄청난 분량의 정보에 노출되어 있습니다. 그 가운데 반드시 필요한 것도 있지만, 사실 굳이 알 필요 없는 정보도 다수 포함되어 있습니다. 예를 들면, 지구 반대편 어느 나라에서 일어난 신변잡기 해프닝을 우리가 알아야 할까요? 이처럼 쏟아져 들어오는 정보에 공감하고, 분노하고, 슬퍼하고, 기뻐하는 과정에서 빠르게 감정의 변화가 일어납니다. 사유는 사라지고 감각 자극이 극대화된 것인데, 자극은 더 강하고 더 충동적인 자극에 이끌리게 되므로 사람들은 더 충동적이고 감정적으로 변하게 됩니다.

또한 '초연결사회'라는 말이 상징하는 것처럼 우리는 여러 가지 관계들로 촘촘하게 연결되어 있습니다. 전통적인 혈연, 학연, 지연 외에도 인터넷을 통해서 사회 구성원들의 일거수 일투족이 실시간으로 중계됩니다. SNS에 올린 자신의 글이 일파만파를 일으키는 경우도 종종 발생합니다.

이러한 현대문명의 특징은 장점인 동시에 단점으로 작용합니다. 단점 가운데 하나가 '분노의 증가'라 할 수 있습니다. 현대 자본주의 사회는 다양한 방법으로 욕망을 자극하고 부추기는데, 그 욕망을 다 충족시키기는 애초에 불가능합니다. 탐욕이 깊은 사람은 그 탐욕이 채워지지 않을 때 강하게 분노합니다. 탐욕이 강한 만큼 원하지 않는 상황이나 물건을 만날 때도 강하게 분노합니다. 분노는 육체적, 언어적 폭력이라는 결과를 낳기 마련입니다. 행복한 삶을 사는데 1차적인 관건입니다.

인욕이라고 해서 무조건 참는 것이 아닙니다. 무조건 참으면 그 스트레스로 인해 '화병'이 나지 않을까요? 분노할 만한 상황을 이겨내려면 무상을 성찰하기(이 상황은 지속되지 않는다), 연민심으로 성찰하기(저 사람도 나와 똑같이 행복하고자 하는 사람이다), 지금 현재에 깨어있기를 비롯하여 무재칠시와 같은 법문을 이해하고, 자신이 싫어하고 불쾌한 상황에 접했을 때 그 내용을 마음에 떠올려 성찰하는 것이 중요합니다. 그러한 과정을 반복하다 보면, 작은 분노들은 쉽게 사그라지고, 커다란 분노의 불길은 작은 모닥불로 바뀌게 될 것입니다.

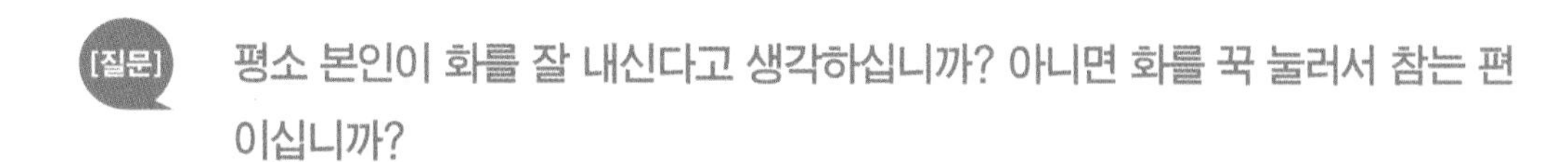

[질문] 평소 본인이 화를 잘 내신다고 생각하십니까? 아니면 화를 꾹 눌러서 참는 편이십니까?

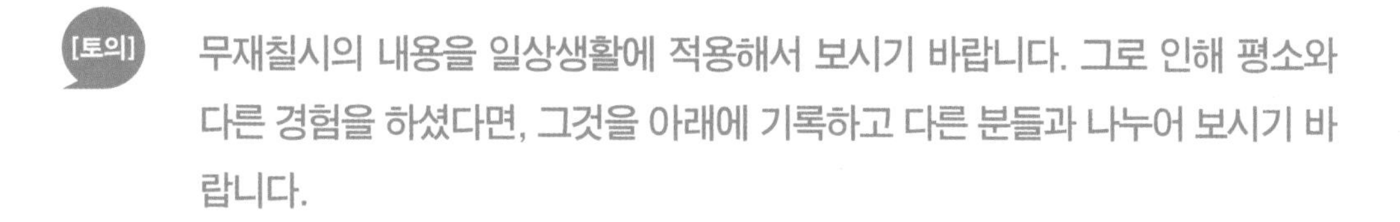

[토의] 무재칠시의 내용을 일상생활에 적용해서 보시기 바랍니다. 그로 인해 평소와 다른 경험을 하셨다면, 그것을 아래에 기록하고 다른 분들과 나누어 보시기 바랍니다.

나. 사회적 영역의 보살행

1) 사회적 보시

왕의 국토에서 목축과 농업에 종사하는 사람에게는 누구에게나 식량과 종자를 제공하십시오. 왕의 국토에서 상업에 종사하는 사람에게는 누구에게나 자금을 제공하십시오. 왕의 국토에서 관직에 종사하는 사람에게는 누구에게나 식량과 급료를 제공하십시오. 그렇게 되면 백성은 자기 일에 전념하게 되어 국토를 유린하는 일이 없어지고, 왕의 권위는 날로 강력해질 것입니다. 그래서 나라는 조용하고 평화로우며, 백성들은 서로 즐거워 아이들을 팔에 끼고 춤추며 행복해 할 것이고 대문을 활짝 열고 살아갈 것입니다.

- 구라단두경

보시라고 하면 보통은 개인적으로 베푸는 관용을 일컫습니다. 수많은 불교 경전에서 곤궁한 백성들에게 보시를 베푼 이야기가 나옵니다. 불교 경전 속에 전해지는 왕들은 도성의 사대문에 구호소를 설치하고 보시를 베풀었던 것입니다.

그런데 이를 현대적 관점으로 해석하면, 경제적으로 어려움에 처한 국민에게 복지를 제공한 것입니다. 과거에는 이러한 보시가 국왕이나 장자의 개인적 발원에 입각한 것이었지만, 현대사회에서는 복지 시스템을 구축하여 집행되도록 하였습니다. 이와 같은 것을 '사회적 보시'라 할 수 있습니다. 그렇다면 사회적 보시가 왜 중요할까요? '평등'하게 모든 구성원이 동일한 복지를 적용 받아야 하는 것 아닐까요? 아래의 그림을 살펴보시기 바랍니다.

〈 평등 vs 공평 〉

왼쪽 그림이 평등한 상황입니다. 동일한 복지가 제공되었습니다. 그러나 어떤 사람은 야구 경기를 볼 수 있지만, 어떤 사람은 아예 경기를 보지 못하고 있습니다. 그 이유는 이들이 처한 상황이 다르기 때문입니다. 따라서 우리는 구성원들이 소외되고 방치되는 현실을 개선하기 위해 사회적 약자들에게 더 많은 복지 혜택을 부여하고 있습니다. 물론 복지 혜택을 받지 않아도 충분한 경제적 풍요를 누리는 분들 입장에서는 불공평하다고 느낄 수 있습니다. 그러나 지금은 우월한 지위를 누리고 있다고 해도, 언젠가 그들도 사회적 약자가 될 수 있습니다. 그때는 잘 구축된 복지 시스템이 얼마나 고마운 것인지 절실히 느끼지 않을까요?

그렇기 때문에 복지 시스템을 유지하는데 필요한 각종 세금을 성실하게 납부하는 것도 보시 행위입니다. 부처님께서는 당신에게 개인적으로 보시하는 것보다 승가에 보시하는 공덕이 더 크다고 말씀하셨습니다. 그런 측면에서 인연 있는 스님들께만 공양하는 것보다는 전체 승가를 대상으로 복지정책을 실시하는 '조계종 승려복지회'에 기부하는 행위는 커다란 공덕이 되는 것입니다. 이것을 응용해서 생각해보면, 어떤 사람을 개인적으로 돕는 것보다, 납세를 통해 구축한 사회복지 시스템으로 돕는다면 더 큰 공덕을 쌓을 수 있지 않을까요? 우리는 자신이 납부한 세금이 어떤 특정한 사람에게 사용되는지 알 수 없지만, 대한민국 구성원 가운데 누군가를 돕는다는 사실만은 분명합니다.

[질문] 사회적 차원의 보시에 대해 생각해 보신 적이 있으신지요? 아니면 개인적으로 행하는 것이 진정한 보시라고 생각하시는지요?

[토의] 사회적 차원의 보시에 대한 생각을 적어 보시기 바랍니다. 아래에 기록한 의견을 다른 분들과 나누어 보시기 바랍니다.

2) 사회적 실천

대왕이시여, 왕이란 백성의 부모이니, 능히 법에 의하여 중생을 포섭하고 편안하게 하는 까닭에 왕이라 합니다. 대왕께서는 마땅히 아셔야 하나니, 왕은 백성 부양하기를 마땅히 갓난아기와 같이 할지니, 마른자리를 물려주고 젖은 것을 버려야 함은 말할 나위도 없습니다.

그것은 왜냐하면, 대왕께서는 마땅히 알아야 하나니, 왕이란 백성으로써 나라를 삼아야 설 수 있거늘 민심이 평온하지 못하면 나라는 곧 위태로워지는 까닭입니다. 그러므로 왕이란 항상 백성의 일을 근심함을 마치 갓난아기와 같이 하여 마음에서 여의지 말 것입니다.

곧 나라 안의 백성들의 괴로움과 즐거움을 알아서 때에 맞추어 안온하게 해주며, 장마철을 알고 가문 때를 알며, 바람을 알고 비를 알며, 곡식이 여무는 일을 알고 여물지 않는 일을 알며, 풍작을 알고 흉작을 알며, 있는 것을 알고 없는 것을 알며, 근심을 알고 기쁨을 알며, 늙은 것을 알고 젊은 것을 알며, 병든 것을 알고 병들지 않은 것을 알며, 모든 다툼을 알며, 죄 있음을 알고 죄 없음을 알며, 가벼운 것을 알고 무거운 것을 알며, 모든 왕자와 대신과 여러 관리들 중에서 공로 있는 이를 알고 공로 없는 이를 아나니, 이와 같이 아는 것을 일컬어 마음에서 여의지 않는다고 합니다.

대왕께서는 마땅히 아셔야 하나니, 왕은 나라 안에 대해 이처럼 알고는 힘으로써 보호하며, 마땅히 주어야 할 것은 때에 맞추어 주고, 취해야 할 것은 마땅히 그 양을 헤아릴 줄 알아야 하며, 일을 부리되 때를 알아서 백성의 이익을 빼앗지 말며, 탐욕스럽고 포악한 자는 엄단해 백성이 안락하도록 해야 합니다. 이것을 일컬어 거두고 보호함이라 하며, 일컬어 왕이라 하는 것입니다.

-대살차니건자소설경

보살은 중생의 모든 괴로움을 해소하기 위해서 노력하는 존재입니다. 여기서 말하는 중생은 인간 뿐 아니라 동물도 포함됩니다. 도움을 주기 위해 개인적인 노력을 기울이는 것도 훌륭한 일입니다. 그런데 현대사회는 각종 연결망으로 촘촘하게 연결되어 있습니다. 네트워크를 활용하는 것이 혼자 움직이는 것에 비해 편리하면서 큰 효과를 거둘 수 있습니다. 이러한 측면에서 중생이 괴로움을 겪는 분야에 '시민운동'과 종단의 사회적 실천활동에 참여하는 것도 확장된 보살행입니다.

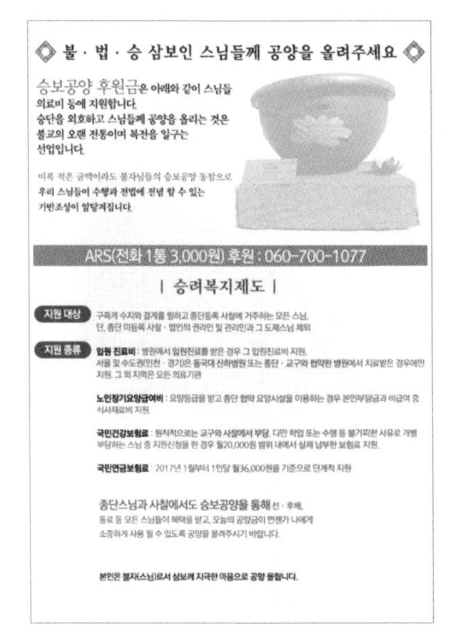

현대사회의 주인인 시민들은 자신의 이익을 중시하는 개인주의 성향을 지니면서도 동시에 공공의 이익에 대해서도 관심을 가지고 있습니다. 우리나라 역시 산업화 과정과 민주화 과정을 거치면서 시민사회로 발전하였습니다.

각종 시민운동이 활발하게 펼쳐지는 것이 그 결과물입니다. 시민운동은 생명, 평화, 환경, 여성, 노인, 청소년, 아동, 종교, 예술, 노동, 국방, 탈핵, 다문화, 장애인 등 사회가 발전하는 데 따라서 참여하는 분야도 점점 늘어나는 추세입니다. 따라서 사회적 실천이라는 관점에서 현대의 보살은 깨어 있는 시민이라는 모습으로 나타나고, 시민운동을 보살행이라 볼 수 있는 것입니다.

중생이 괴로우면 나도 괴로울 수밖에 없습니다. 혼자 산에 들어가 살면 평화로울 수 있을까요? 그것도 세상이 평온을 유지할 때 가능합니다. 숲 속에 거주하는 사람들도 세상과 교류를 하면서 살아갑니다. '나'는 공기, 물, 흙, 나무, 숲, 햇볕, 도구, 언어, 지식 등 '나 아닌 것'과의 관계로 존재하기 때문에 그런 관계를 배제하는 것은 망상일 뿐, 어떻게 하더라도 가능하지 않습니다. 쌀 한 톨에 농부의 땀방울 일곱 근이 들어간다는 '일미칠근(一米七斤)'이란 말도 그러한 연관성을 상징하고 있습니다.

시민운동에 참여하신 경험이 있으신지요? 시민운동이 아니더라도 그와 유사한 활동을 해보신 경험이 있으신지요?

본인의 경험을 아래의 공간에 적어 보시기 바랍니다. 그리고 그 경험을 다른 분들과 나누어 보시기 바랍니다.

4. 보살도를 행한 공덕

처음으로 보리심을 낸 보살은 지혜의 자리에 오르기까지 중생들의 삶의 근원이 되고, 변함이 없고, 대가를 바라지도 않습니다. 물이 풀과 약초와 나무를 키우듯이 청정한 원을 지닌 보살은 중생들을 자비로 적시고, 잠깐 동안 이 세상에 머물러 중생들이 지니고 있는 맑고 깨끗한 성품을 키워 줍니다.

짐승 중의 왕인 사자는 어디를 가든지 무서워하거나 두려워하지 않고 의젓하게 활보합니다. 그와 마찬가지로 올바르게 행동하고, 교법을 듣고, 덕과 법을 몸에 익힌 보살은 언제 어디서나 조금도 두려워하지 않고 사방을 활보합니다.

잘 훈련된 코끼리는 아무리 무거운 짐을 나를지라도 그 때문에 지치는 일이 없습니다. 그와 마찬가지로 마음이 잘 닦인 보살은 일체 중생의 무거운 짐을 모두 나를지라도 지치지 않습니다.

연꽃은 진흙 속에 있어도 진흙에 의해 더러워지지 않듯이, 보살은 세속에 살아도 세속의 일에 의해 더러워지지 않습니다.

- 보적경

보살도를 행한 공덕은 무엇일까요? 개인적으로 사회적으로 괴로움이 사라지고 즐거움이 자라납니다(離苦得樂). 소외되고 억압된 인격들이 주인공으로 성장합니다(轉迷開悟). 나와 이웃이 함께 행복하고 평화로운 세상을 누리게 됩니다(自他一時 成佛道). 조금 더 생각해보겠습니다. 우리가 다른 사람이나 우리 사회의 공동선을 위해 헌신하면, 그 과정에서 우리는 타인과 세상에 대한 이해와 공감이 깊어지게 됩니다. 이해와 공감은 '자비심'이 일어나는 바탕이 됩니다. 일정기간 반복해서 실천을 하면 그 이해심이 더욱 깊어지고, 그에 비례하여 자비심 또한 깊어지게 됩니다. 말 그대로 '보살'이 되어가는 것입니다.

타인을 이해하고 공감하며 헌신하다 보면, 자기 자신에 대한 이해도 깊어질 뿐 아니라, 자신이 가지고 있던 마음의 짐들이 사라지게 됩니다. 타인을 이롭게 하는 것이 그대로 자신을 이롭게 하는 것입니다(利他卽自利). 왜냐하면 우리는 세상에 독립적으로 존재하는 것이 아니라 '나 아닌 것'과의 관계로 존재하기 때문입니다. 이해와 자비심을 통해 서로 간에 관계가 개선되면, 반드시 우리 개인이 느끼는 행복감도 증가하고 스트레스는 감소합니다. 꼭 물질적이고 유형적인 성과를 거두어야 하는 것은 아닙니다. 자비심으로 헌신하는 과정에서 이미 행복과 평화, 인격적 향상이 이루어지게 되기 때문입니다.

[토의] 일정 기간 동안 보살행을 한 다음, 그렇게 해서 얻은 결실에 대해 각자가 경험한 일들을 아래의 공간에 솔직하게 기록해 주십시오. 그리고 이 내용으로 다른 분들과 경험담을 나누어 보시기 바랍니다. 일상생활에서 얻는 정신적인 행복, 만족감, 편안함, 인간관계의 변화 등에 초점을 맞추어 보시기 바랍니다.

불교 5대 수행법

길라잡이

초판 1쇄 찍음 2021(2565)년 2월 22일
초판 1쇄 펴냄 2021(2565)년 3월 2일

편찬. 대한불교조계종 포교원
발행인. 정지현
편집인. 박주혜

펴낸곳. (주)조계종출판사
서울 종로구 삼봉로 81 두산위브파빌리온 232호
전화 02-720-6107~9 | 팩스 02-733-6708
출판등록 제2007-000078호(2007. 04. 27.)

구입문의. 불교전문서점 향전(www.jbbook.co.kr) 02-2031-2070~1

ISBN 979-11-5580-158-1 13220